LA SAGESSE ET LA DESTINÉE

Maurice Maeterlinck

Je vous dédie ce livre, qui est pour ainsi dire votre oeuvre. Il y a une collaboration plus haute et plus réelle que celle de la plume; c'est celle de la pensée et de l'exemple. Il ne m'a pas fallu péniblement imaginer les résolutions et les actions d'un sage idéal, ou tirer de mon coeur la morale d'un beau rêve forcément un peu vague. Il a suffi que j'écoutasse vos paroles. Il a suffi que mes yeux vous suivissent attentivement dans la vie; ils y suivaient ainsi les mouvements, les gestes, les habitudes de la sagesse même.

MAETERLINCK

I

En ce livre, on parlera souvent de sagesse, de fatalité, de justice, de bonheur et d'amour. Il semble qu'il y ait quelque ironie à évoquer ainsi un bonheur peu visible, au milieu de malheurs très réels, une justice peut-être idéale, au sein d'une injustice, hélas! trop matérielle, et un amour assez malaisément saisissable dans de la haine ou de l'indifférence bien manifeste. Il semble qu'il ne soit guère opportun d'aller chercher, à loisir, en des replis cachés au fond du coeur de l'humanité, quelques motifs de confiance ou de sérénité, quelques occasions de sourire, de s'épanouir et d'aimer, quelques raisons de remercier et d'admirer, quand la plus grande partie de cette humanité, au nom de laquelle on se permet d'élever la voix, loin de pouvoir s'attarder aux jouissances intérieures et aux consolations profondes, mais si péniblement atteintes, que le penseur satisfait préconise, n'a même pas l'assurance ni le temps de goûter jusqu'au bout les misères et les désolations de la vie.

On a reproché ainsi aux moralistes, à Epictète entre autres, de ne jamais s'occuper que du sage. Il y a du vrai dans ce reproche, comme il y a du vrai dans presque tous les reproches qu'on peut faire. Au fond, si l'on avait le courage de n'écouter que la voix la plus simple, la plus proche, la plus pressante de sa conscience, le seul devoir indubitable serait de soulager autour de soi, dans un cercle aussi étendu que possible, le plus de souffrances qu'on pourrait. Il faudrait se faire infirmier, visiteur des pauvres, consolateur des affligés, fondateur d'usines modèles, médecin, laboureur, que sais-je, ou tout au moins ne s'appliquer, comme le savant de laboratoire, qu'à arracher à la nature ses secrets matériels les plus indispensables. Seulement, un monde où il n'y aurait plus, à un moment donné, que des gens se secourant les uns les autres ne persisterait pas longtemps dans cette oeuvre charitable si personne n'usurpait le loisir nécessaire pour se préoccuper d'autre chose. C'est grâce à quelques hommes qui paraissent inutiles qu'il y aura toujours un certain nombre d'hommes incontestablement utiles. La meilleure partie du bien qu'on fait autour de nous, à cette heure, est née d'abord dans l'esprit de l'un de ceux qui négligèrent peut-être plus d'un devoir immédiat et urgent pour réfléchir, pour rentrer en eux-mêmes, pour parler. Est-ce à dire qu'ils aient fait ce qu'il y avait de mieux à faire? Qui oserait répondre à cette question? Ce qu'il y a de mieux à faire semble toujours, aux yeux de l'âme humblement honnête qu'il faut s'efforcer d'être, le devoir le plus simple et le plus proche, mais il n'en serait pas moins regrettable que tout le monde s'en fût toujours tenu au devoir le plus proche. À toutes les époques, il y eut des êtres qui purent s'imaginer loyalement qu'ils remplissaient tous les devoirs de l'heure présente en songeant aux devoirs de l'heure qui allait suivre. La plupart des penseurs affirment volontiers que ces êtres ne se trompèrent point. Il est bon que le penseur affirme quelque chose. Il est vrai, pour le dire en passant, que la sagesse se trouve parfois dans le contraire de ce que le plus sage affirme. Qu'importe? on ne l'y eût pas aperçue sans cette affirmation; et le sage a fait son devoir.

II

Aujourd'hui, la misère est une maladie de l'humanité comme la maladie est une misère de l'homme. Il y a des médecins pour la maladie, comme il faudrait des médecins pour la misère humaine. Mais, de ce que l'état de maladie est malheureusement très commun, s'ensuit-il qu'on ne doive jamais s'occuper de la santé, et que celui qui enseigne l'anatomie, par exemple, qui est la science physique correspondant le plus exactement à la morale, ait uniquement à tenir compte des déformations qu'une déchéance plus ou moins générale inflige au corps de l'homme? Il importe qu'il parte d'un corps sain et bien constitué, comme il importe que le moraliste qui s'efforce de regarder par delà l'heure présente, parte d'une âme heureuse, ou qui du moins a ce qu'il faut pour l'être, hormis la conscience suffisante.

Nous vivons au sein d'une grande injustice, mais il n'y a, je pense, ni indifférence ni cruauté, à parler parfois comme si cette injustice n'était plus, sans quoi l'on ne sortirait jamais de son cercle.

Il faut bien que quelques-uns se permettent de penser, de parler et d'agir comme si tous étaient heureux; sinon, quel bonheur, quelle justice, quel amour, quelle beauté, trouveraient tous les autres le jour où le destin leur ouvrira les jardins publics de la terre promise? On peut dire, il est vrai, qu'il conviendrait d'aller d'abord «au plus pressé». Mais aller « au plus pressé» n'est pas toujours le parti le plus sage. Mieux vaut souvent aller tout de suite «au plus haut». Si les eaux envahissent la demeure du paysan hollandais, la mer ou la rivière voisine ayant percé la digue qui défend la campagne, le plus pressé, pour lui, sera de sauver ses bestiaux, ses fourrages et ses meubles, mais le plus sage, d'aller lutter contre les flots, au sommet de la digue, et d'y appeler tous ceux qui vivent sous la protection des terres ébranlées.

L'humanité a été jusqu'ici comme une malade qui se tourne et se retourne sur son lit pour trouver le repos, mais cela n'empêche pas que les seules paroles véritablement consolantes qui lui aient été dites, l'ont été par ceux qui lui parlaient comme si elle n'eût jamais été malade. C'est que l'humanité est faite pour être heureuse, comme l'homme est fait pour être bien portant, et quand on lui parle de sa misère, au sein même de la misère la plus universelle et la plus permanente, on a l'air de ne lui dire que des paroles accidentelles et provisoires. Il n'y a rien de déplacé à s'adresser à elle comme si elle se trouvait toujours à la veille d'un grand bonheur ou d'une grande certitude. En réalité elle s'y trouve par son instinct, dût-elle ne jamais atteindre le lendemain. Il est bon de croire qu'un peu plus de pensée, un peu plus de courage, un peu plus d'amour, un peu plus de curiosité, un peu plus d'ardeur à vivre suffira quelque jour à nous ouvrir les portes de la joie et de la vérité. Cela n'est pas tout à fait improbable. On peut espérer qu'un jour tout le monde sera heureux et sage; et si ce jour ne vient jamais, il n'est pas criminel de l'avoir espéré.

En tout cas, il est utile de parler du bonheur aux malheureux, pour leur apprendre à le connaître. Ils s'imaginent si volontiers que le bonheur est une chose extraordinaire et presque inaccessible! Mais si tous ceux qui peuvent se croire heureux disaient bien simplement les motifs de leur satisfaction, on verrait qu'il n'y a jamais, de la tristesse à la joie, que la différence d'une acceptation un peu plus souriante, un peu plus éclairée, à un asservissement hostile et assombri; d'une interprétation étroite et obstinée à une interprétation harmonieuse et élargie. Ils s'écrieraient alors: «N'est-ce donc que cela? Mais nous aussi nous possédons dans notre coeur les éléments de ce bonheur.» En effet vous les y possédez. À moins de grands malheurs physiques, tout le monde les possède. Mais ne parlez pas de ce bonheur avec mépris. Il n'y en a point d'autre. Le plus heureux des hommes est celui qui connaît le mieux son bonheur; et celui qui le connaît le mieux est celui qui sait le plus profondément que le bonheur n'est séparé de la détresse que par une idée haute, infatigable, humaine et courageuse.

C'est de cette idée qu'il est salutaire de parler le plus souvent possible; non pas pour imposer celle que l'on possède, mais pour faire naître peu à peu dans le coeur de ceux qui nous écoutent le désir d'en posséder une à leur tour. Cette idée est différente pour chacun de nous. La vôtre ne me convient point; vous aurez beau me la répéter avec éloquence, elle n'atteindra pas les organes cachés de ma vie. Il faut que j'acquière la mienne en moi-même, par moi-même. Mais tout en ne parlant que de la vôtre, vous m'aiderez sans le savoir à acquérir la mienne. Il arrivera que ce qui vous attriste me réconfortera, que ce qui vous console m'affligera peut-être, peu importe; ce qu'il y a de beau dans votre vision consolante entrera dans mon affliction, et ce qu'il y a de grand dans votre tristesse passera dans ma joie, si ma joie est digne de votre tristesse. Ce qu'il faut, avant tout, c'est préparer à la surface de notre âme une certaine hauteur pour y recevoir cette idée, comme les prêtres d'anciennes religions dénudaient et débarrassaient de ses épines et de ses ronces le sommet d'une montagne pour y recevoir le feu du ciel. Il n'est pas impossible que, demain, on nous envoie du fond de la planète Mars, dans la vérité définitive sur la constitution et sur le but de l'univers, la formule infaillible du bonheur. Elle ne changera, n'améliorera quelque chose, en notre vie morale, qu'autant que nous vivions depuis longtemps dans l'attente et le désir de l'amélioration. Chacun de nous profitera et jouira des bienfaits de cette formule, cependant invariable, en proportion de l'espace désintéressé, purifié, attentif et déjà éclairé que cette formule trouvera dans son âme. Toute la morale, toute la science de la justice et du bonheur, ne devrait être qu'une attente, une préparation aussi vaste, aussi expérimentée, aussi accueillante que possible. Certes, il est désirable entre tous, le jour où nous vivrons enfin dans la certitude, dans la vérité scientifique, totale, inébranlable; mais en attendant, il nous est donné de vivre dans une vérité plus importante encore, la vérité de notre âme et de notre caractère; et quelques sages nous ont prouvé que cette vie était possible au sein même des plus grandes erreurs matérielles.

III

Est-il vain de parler de morale, de justice, de bonheur et de tout ce qui s'y rapporte, avant l'heure définitive de la science qui peut tout bouleverser? Peut-être sommes nous dans des ténèbres provisoires, et bien des choses ne se font pas de la même façon dans les ténèbres qu'à la clarté du jour.

Néanmoins, les événements essentiels de notre vie physique et de notre vie morale ont lieu dans l'ombre, aussi nécessairement, aussi complètement qu'à la lumière. Il nous faut vivre, en attendant le mot de l'énigme, et c'est en vivant le plus heureusement, le plus noblement que l'on peut, qu'on vivra le plus puissamment et qu'on aura le plus de courage, le plus d'indépendance, le plus de clairvoyance, pour le désir et la recherche de la vérité. Et puis, quoi qu'il arrive, le temps consacré à l'étude de nous-même ne sera pas perdu. Quelle que soit la manière dont nous ayons un jour à envisager ce monde dont nous faisons partie, il y aura toujours bien plus de sentiments, de passions, de secrets inaltérés, inaltérables en l'âme humaine, qu'il n'y aura d'étoiles reliées à la terre, ou de mystères éclaircis par la science. Au sein de la vérité la plus irrécusable et la plus pénétrante, l'homme s'élèvera sans doute, mais il s'élèvera selon la direction invariable de l'âme humaine; et l'on peut affirmer que plus l'universelle certitude sera forte et consolante, plus les problèmes de la justice, de la morale, du bonheur et de l'amour prendront, aux yeux de tous, l'aspect dominateur et passionnant, sous lequel ils se sont toujours présentés aux regards du penseur.

Il importe de vivre comme si l'on se trouvait toujours à la veille de la grande découverte et de se préparer à l'accueillir, le plus totalement, le plus intimement, le plus ardemment qu'on pourra. Et la meilleure manière de l'accueillir un jour, sous quelque forme qu'elle se doive révéler, c'est de l'espérer dès aujourd'hui, aussi haute, aussi vaste, aussi parfaite, aussi ennoblissante, qu'il nous est donné de nous l'imaginer. Nous ne saurions lui prêter trop d'ampleur, trop de beauté, ni trop de majesté. Il est certain qu'elle sera meilleure que nos meilleurs espoirs, car si elle en diffère, si elle va jusqu'à les contredire, par le fait même qu'elle nous apportera la vérité, elle nous apportera quelque chose de plus grand, de plus haut, de plus conforme à la nature humaine que ce que nous avions attendu. Pour l'homme, dût-il y perdre tout ce qu'il admirait, l'admirable par excellence ce sera la vérité intime de l'univers. En supposant qu'au jour où elle sera manifestée, les plus humbles cendres de nos espérances soient dispersées, il nous restera en tout cas notre préparation à l'admirable, et l'admirable entrera dans notre âme à flots plus ou moins abondants, selon la largeur, selon la profondeur du lit que notre attente aura creusé.

IV

Est-il nécessaire de se croire meilleur que l'univers? Nous aurons beau raisonner, toute notre raison ne sera jamais qu'un bien faible rayon de la nature, une infime partie de ce tout qu'elle s'arroge le droit de juger, et faut-il qu'un rayon, pour qu'il fasse son devoir, souhaite de modifier la lampe dont il émane?

Le sommet de notre être, du haut duquel nous entendons absoudre ou condamner la totalité de la vie, n'est évidemment qu'une inégalité que notre oeil seul remarque sur la sphère sans limite de la vie. Il est sage de penser et d'agir comme si tout ce qui arrive à l'humanité était indispensable. Il n'y a pas longtemps, pour ne citer qu'un seul de ces problèmes que l'instinct de notre planète est appelé à résoudre, il n'y a pas longtemps, on eut, paraît-il, l'intention de demander aux penseurs de l'Europe s'il faudrait considérer comme un bonheur ou un malheur qu'une race énergique, opiniâtre et puissante, mais qui nous semble, à nous autres Aryens, en vertu de préjugés trop aveuglément acceptés, inférieure par l'âme ou par le coeur, la race juive en un mot, disparût ou devînt prépondérante. Je suis persuadé que le sage peut répondre, sans qu'il y ait dans sa réponse ni résignation ni indifférence répréhensibles: «Ce qui aura lieu sera le bonheur.» Souvent, ce qui a lieu nous paraît avoir tort, mais qu'a donc fait de plus utile jusqu'ici toute la raison humaine que de trouver une raison supérieure aux torts de la nature? Tout ce qui nous soutient, tout ce qui nous assiste, dans la vie physique comme dans la vie morale, vient d'une sorte de justification lente et graduelle de la force inconnue qui nous parut d'abord impitoyable. Si une race absolument conforme à notre idéal disparaît, c'est que notre idéal n'est pas absolument conforme à l'idéal par excellence, qui est, comme je l'ai dit, la vérité intime de l'univers.

Déjà, nous avons su tirer de notre expérience, déjà nous avons vu confirmer par la réalité d'admirables rêves, d'admirables désirs, de grandes idées et de grands sentiments d'amour, de beauté, de justice. S'il en est dans notre imagination, de plus vastes et de plus consolants, mais qui ne supporteraient pas l'épreuve de la réalité, c'est-à-dire de la puissance anonyme et mystérieuse de la vie, c'est qu'il faut qu'ils soient autres, mais non qu'ils soient moins beaux, moins vastes, ni moins consolants. En attendant que la réalité se manifeste, il est peut-être salutaire d'entretenir un idéal qu'on s'imagine plus beau que la réalité; mais après que celle-ci s'est enfin révélée, il devient nécessaire que la flamme idéale que nous avons nourrie de nos meilleurs désirs, ne serve plus qu'à éclairer loyalement les beautés moins fragiles et moins complaisantes de la masse imposante qui écrase ces désirs. Je ne crois pas qu'il y ait en tout ceci acceptation servile, fatalisme endormi, optimisme passif. Il est possible que le sage perde en mainte occasion une partie de l'ardeur obstinée, exclusive et aveugle, qui fit réaliser par quelques-uns des choses pour ainsi dire surhumaines, par cela même qu'ils ne possédaient pas la plénitude de la raison humaine. Mais il n'en est pas moins certain qu'il n'est permis à aucune âme honnête d'aller chercher de l'énergie, de la bonne volonté, des illusions ou de l'aveuglement dans une région inférieure à celle des pensées de ses meilleures heures. On ne fait vraiment son devoir dans la vie intérieure qu'en le faisant toujours au plus haut de son âme, au plus haut de sa vérité propre. Et si, dans l'existence pratique et quotidienne, il est parfois licite de composer avec les circonstances, s'il n'y est pas toujours opportun d'aller jusqu'au bout de soi-même, comme Saint-Just, par exemple, qui, voulant, avec une ardeur admirable, la justice, la paix et le bonheur universels, envoyait de bonne foi à l'échafaud des milliers de victimes, dans la vie de la pensée, le devoir est d'aller, en tout cas jusqu'à l'extrémité de sa pensée. Au reste, savoir que l'on n'agit qu'en attendant la vérité n'empêchera d'agir que ceux qui n'eussent pas davantage agi dans l'ignorance. La pensée qui s'élève encourage ce qu'elle décourage. Il semble naturel à ceux qui regardent de haut et admirent d'avance ce qui détruira leur action, de faire tout ce qu'ils peuvent pour améliorer ce qu'il n'est pas interdit d'appeler la raison, la justice, la beauté de la terre, l'instinct de la planète. Ils savent qu'améliorer, ici, ce n'est, au fond, que découvrir, comprendre, respecter. Avant tout, ils ont confiance dans «l'idée de l'univers». Ils sont persuadés que tout effort vers le mieux les rapproche de la volonté secrète de la vie, mais ils apprennent en même temps à tirer de l'échec de leurs plus généreux efforts et de la résistance de ce grand monde, un aliment nouveau pour leur admiration, pour leur ardeur, pour leur espoir.

Si vous gravissez vers le soir une haute montagne, vous voyez diminuer peu à peu, se perdre enfin dans l'ombre envahissante de la vallée, les arbres, les maisons, le clocher, les prés, les vergers, la route et la rivière même. Mais les petits points lumineux que l'on trouve, au fond des plus obscures nuits, dans les lieux habités par les hommes ne s'affaibliront pas à mesure que vous vous élèverez. Au contraire, à chaque pas que vous ferez vers la hauteur, vous découvrirez un plus grand nombre de lumières dans les villages endormis sous vos pieds. La lumière, si fragile qu'elle soit, est peut-être la seule chose qui ne perde presque rien de sa valeur en face de l'immensité. Il en est de même de nos lumières morales quand nous regardons la vie d'un peu haut. Il est bon que la contemplation nous apprenne à nous désintéresser de toutes nos passions inférieures, mais il ne faut pas qu'elle affaiblisse ou décourage le plus humble de nos désirs de vérité, de justice et d'amour.

D'où vient-elle, cette règle que je formule ainsi? je n'en sais rien moi-même. Elle me paraît humaine et nécessaire, voilà tout; et je n'en saurais donner d'autres raisons que des raisons sentimentales. Mais les raisons sentimentales sont parfois les moins méprisables. Et si j'atteignais un sommet d'où cette loi ne me paraîtrait plus utile, j'écouterais l'instinct secret qui me dirait de ne pas m'arrêter, de m'élever encore, jusqu'à ce que j'aperçoive de nouveau toute son utilité.

V

Après cette introduction générale, parlons plus particulièrement de l'influence que la sagesse peut avoir sur notre destinée. Et puisque l'occasion s'en présente, il est peut-être utile de faire observer, dès l'abord, qu'on chercherait en vain une méthode bien rigoureuse dans ce livre. Il n'est composé que de méditations interrompues, qui s'enroulent avec plus ou moins d'ordre autour de deux ou trois objets. Il ne prétend persuader personne, il n'entend rien prouver. Au demeurant, les livres n'ont guère, dans la vie, l'importance que la plupart des hommes qui les écrivent ou qui les lisent veulent bien leur accorder. Il suffirait de les écouter dans l'esprit où l'un de mes amis, qui est un grand sage, écoutait un jour le récit des derniers instants de l'empereur Antonin le Pieux. Antonin le Pieux qui, à plus juste titre encore que Marc-Aurèle, peut être considéré comme l'homme le meilleur et le plus parfait que la terre ait porté, car à toute la sagesse, à toute la profondeur, à toute la bonté, à toutes les vertus de son fils adoptif, il joignait je ne sais quoi de plus viril, de plus énergique, de plus pratique, de plus simplement heureux et de plus spontané, qui le rapprochait davantage de la vérité quotidienne, Antonin le Pieux, étendu sur son lit, attendait la mort, les yeux voilés de larmes involontaires et les membres baignés des pâles sueurs de l'agonie. À ce moment, le chef des gardes du palais entra dans sa chambre, pour lui demander, selon l'usage, le mot d'ordre. *Æquanimitas, égalité d'âme*, répondit-il en tournant la tête du côté de l'ombre éternelle. Il est beau d'aimer et d'admirer cette parole, disait mon ami. Il est plus beau encore, ajoutait-il, de savoir sacrifier sans que personne le remarque, sans que soi-même on songe à s'en apercevoir, le temps que le hasard nous accorde pour l'admirer, à la première venue des petites oeuvres utiles et simplement vivantes que le même hasard offre sans cesse à la bonne volonté de notre coeur.

VI

«Leur destinée voulait sans doute qu'ils fussent opprimés par les hommes ou par les événements partout où ils se planteraient.» dit un auteur en parlant des héros de son livre. Il en est ainsi de la plupart des hommes. Il en est ainsi de tous ceux qui n'ont pas appris à séparer leur destinée extérieure de leur destinée morale. Ils sont semblables au petit ruisseau aveugle que je contemplais un matin, du haut d'une colline. Tâtonnant, se débattant, trébuchant et chancelant sans cesse au fond d'une vallée obscure, il cherchait sa route vers le grand lac qui dormait de l'autre côté de la forêt, dans la paix de l'aurore. Ici, c'était un quartier de basalte qui l'obligeait à quatre longs détours, là-bas, les racines d'un vieil arbre, plus loin encore, le simple souvenir d'un obstacle à jamais disparu le faisait remonter vers sa source en bouillonnant en vain, et l'éloignait indéfiniment de son but et de son bonheur. Mais, dans une autre direction, et presque perpendiculairement au ruisseau affolé, malheureux, inutile, une force supérieure aux forces instinctives avait tracé à travers la campagne, à travers les pierres écroulées, à travers la forêt obéissante, une sorte de long canal, ferme, verdoyant, insoucieux, pacifique, allant sans hésiter, de son pas calme et clair, des profondeurs d'une autre source cachée à l'horizon, vers le même lac lumineux et tranquille. Et j'avais à mes pieds l'image des deux grandes destinées qui sont offertes à l'homme.

VII

À côté de ceux qui sont opprimés par les hommes et par les événements, il y a en effet d'autres êtres en qui se trouve une sorte de force intérieure à laquelle se soumettent non seulement les hommes, mais même les événements, qui les entourent. Ils ont conscience de cette force; et cette force n'est d'ailleurs autre chose qu'un sentiment de soi-même qui a su s'étendre au delà des bornes de la conscience habituelle aux hommes.

On n'est chez soi, on n'est à l'abri des caprices du hasard, on n'est heureux et fort que dans l'enceinte de sa conscience. Au reste, ces choses ont été dites trop souvent pour que nous nous y arrêtions, si ce n'est pour fixer notre point de départ. Un être ne grandit que dans la mesure où il augmente sa conscience, et sa conscience augmente à mesure qu'il grandit. Il y a ici d'admirables échanges; et de même que l'amour est insatiable d'amour, toute conscience est insatiable d'extension, d'élévation morale, et toute élévation morale est insatiable de conscience.

VIII

Mais ce sentiment de soi-même, tel qu'on le comprend d'habitude, se limite trop volontiers à la connaissance de nos défauts et de nos qualités. Il peut s'étendre à des mystères infiniment plus secourables. Se connaître soi-même, ce n'est pas seulement se connaître au repos ou se connaître plus ou moins dans le présent et le passé. Les êtres dont je parle n'ont en eux cette force que parce qu'ils se connaissent aussi dans l'avenir. Avoir conscience de soi-même, pour les hommes les plus grands, c'est avoir conscience, jusqu'à un certain point, de son étoile ou de sa destinée. Ils connaissent une partie de leur avenir parce qu'ils sont déjà une partie de cet avenir même. Ils ont confiance en eux parce qu'ils savent dès aujourd'hui ce que les événements deviendront dans leur âme. L'événement en soi, c'est l'eau pure que nous verse la fortune et il n'a d'ordinaire par lui même ni saveur, ni couleur, ni parfum. Il devient beau ou triste, doux ou amer, mortel ou vivifiant, selon la qualité de l'âme qui le recueille. Il arrive sans cesse à ceux qui nous entourent mille et mille aventures qui semblent toutes chargées de germes d'héroïsme, et rien d'héroïque ne s'élève après que l'aventure s'est dissipée. Mais Jésus-Christ rencontre sur sa route une troupe d'enfants, une femme adultère ou la Samaritaine, et l'humanité monte trois fois de suite à la hauteur de Dieu.

IX

On devrait pouvoir dire qu'il n'arrive aux hommes que ce qu'ils veulent qu'il leur arrive. Nous n'avons, il est vrai, qu'une influence affaiblie sur un certain nombre d'événements extérieurs; mais nous avons une action toute puissante sur ce que ces événements deviennent en nous-mêmes, c'est-à-dire sur la partie spirituelle qui est la partie lumineuse et immortelle de tout événement. Il est des milliers d'êtres en qui cette partie spirituelle qui demande à naître de tout amour, de tout malheur ou de toute rencontre n'a pu vivre un instant, et ceux-là passent comme des épaves sur un fleuve. Il en est quelques autres en qui cette part immortelle absorbe tout; et ceux-là sont comme des îles sur la mer, car ils ont trouvé un point fixe d'où ils commandent aux destinées intimes; et la destinée véritable est une destinée intime. Pour la plupart des hommes, c'est ce qui leur arrive qui assombrit ou éclaire leur vie; mais la vie intérieure de ceux dont je parle éclaire seule tout ce qui leur arrive. Si vous aimez, ce n'est pas cet amour qui fait partie de votre destinée; c'est la conscience de vous-même que vous aurez trouvée au fond de cet amour qui modifiera votre vie. Si l'on vous a trahi, ce n'est pas la trahison qui importe; c'est le pardon qu'elle a fait naître dans votre âme, et la nature plus ou moins générale, plus ou moins élevée, plus ou moins réfléchie de ce pardon, qui tournera votre existence vers le côté paisible et plus clair du destin où vous vous verrez mieux que si l'on vous était resté fidèle. Mais si la trahison n'a pas accru la simplicité, la confiance plus haute, l'étendue de l'amour, on vous aura trahi bien inutilement, et vous pourrez vous dire qu'il n'est rien arrivé.

X

N'oublions pas que rien ne nous arrive qui ne soit de la même nature que nous-mêmes. Toute aventure qui se présente, se présente à notre âme sous la forme de nos pensées habituelles, et aucune occasion héroïque ne s'est jamais offerte à celui qui n'était pas un héros silencieux et obscur depuis un grand nombre d'années. Gravissez la montagne ou descendez dans le village, allez au bout du monde ou bien promenez-vous autour de la maison, vous ne rencontrerez que vous-même sur les routes du hasard. Si Judas sort ce soir, il ira vers Judas et aura l'occasion de trahir, mais si Socrate ouvre sa porte, il trouvera Socrate endormi sur le seuil et aura l'occasion d'être sage. Nos aventures errent autour de nous comme les abeilles sur le point d'essaimer errent autour de la ruche. Elles attendent que l'idée-mère sorte enfin de notre âme; et quand elle est sortie, elles s'agglomèrent autour d'elle. Mentez, et les mensonges accourront; aimez, et la grappe d'aventures frissonnera d'amour. Il semble que tout n'attende qu'un signal intérieur, et si notre âme devient plus sage vers le soir, le malheur aposté par elle-même le matin devient plus sage aussi.

XI

Il n'arrive jamais de grands événements intérieurs à ceux qui n'ont rien fait pour les appeler à eux; et cependant le moindre accident de la vie porte en lui la semence d'un grand événement intérieur. Mais ces événements sont les esclaves de la justice, et chaque homme a la part de butin qu'il mérite. Nous devenons exactement ce que nous découvrons dans les bonheurs et les malheurs qui nous adviennent; et les caprices les plus inattendus de la fortune s'accoutument à prendre la forme même de nos pensées. Les vêtements, les armes et les parures du destin se trouvent dans notre vie intérieure. Si Socrate et Thersite perdent leur fils unique le même jour, le malheur de Socrate ne sera pas pareil au malheur de Thersite. La mort même, que l'on croit invariable, a d'autres habitudes, d'autres gestes, d'autres larmes dans la maison des bons que dans celle des méchants. On dirait que le malheur ou le bonheur se purifie avant de frapper à la porte du sage; et qu'il baisse la tête pour entrer dans une âme médiocre.

XII

À mesure que nous devenons sages, nous échappons à quelques-unes de nos destinées instinctives. Il y a dans tout être un certain désir de sagesse, qui pourrait transformer en conscience la plupart des hasards de la vie. Et ce qui a été transformé en conscience n'appartient plus aux puissances ennemies. Une souffrance que votre âme a changée en douceur, en indulgence ou en sourires patients, est une souffrance qui ne reviendra plus sans ornements spirituels; et une faute et un défaut que vous avez regardés face à face est une faute et un défaut qui ne peuvent plus vous nuire, et qui ne peuvent plus nuire aux autres.

Il existe des rapports incessants entre l'instinct et le destin, ils se soutiennent l'un l'autre, et ils rôdent la main dans la main autour de l'homme inattentif. Mais tout être qui sait diminuer en lui la force aveugle de l'instinct, diminue tout autour de lui la force du destin. Il semble qu'il crée une sorte de lieu d'asile, inviolable en proportion de sa sagesse, et ceux qui passent par hasard dans la zone éclairée de sa conscience acquise n'ont rien à craindre du hasard tant qu'ils s'attardent en cette zone. Placez Socrate et Jésus-Christ au milieu des Atrides, et l'Orestie n'aura pas lieu aussi longtemps qu'ils se trouveront dans le palais d'Agamemnon; et s'ils se fussent assis sur le seuil des demeures de Jocaste, OEdipe n'eût pas songé à se crever les yeux. Il y a des malheurs que la fatalité n'ose entreprendre en présence d'une âme qui l'a vaincue plus d'une fois, et le sage qui passe interrompt mille drames.

XIII

Il est si vrai que la présence du sage paralyse le destin, qu'il n'existe peut-être pas un seul drame où paraisse un véritable sage, et s'il y en paraît un, l'événement s'arrête de lui-même avant les larmes et le sang. Non seulement, il n'y a jamais de drame entre les sages, mais il y a très rarement un drame autour du sage. Il n'est guère possible d'imaginer qu'un événement tragique se développe entre des êtres qui ont fait sérieusement le tour de leur conscience, et les héros des grandes tragédies ont des âmes qu'ils n'interrogent jamais profondément. C'est pourquoi le poète tragique ne saurait nous montrer qu'une beauté plus ou moins enchaînée, car dès que ses héros s'élèvent aussi haut que de véritables héros doivent monter, ils laissent tomber leurs armes, et le drame n'est plus que le repos dans la lumière. Le seul drame du sage se trouve dans le *Phédon*, dans *Prométhée*, dans la passion du Christ, dans le meurtre d'Orphée ou le sacrifice d'Antigone. Mais ce drame mis à part, qui est le drame unique de la sagesse, observons que les poètes tragiques osent très rarement permettre au sage de paraître un moment sur la scène. Ils craignent une âme haute parce que les événements la craignent, et qu'un meurtre commis en présence du sage n'a pas le même aspect que le meurtre commis en présence de ceux dont l'âme s'ignore encore. Si Oedipe avait possédé quelques-unes de ces certitudes que tout penseur peut acquérir, s'il avait eu en lui ce refuge toujours ouvert que Marc-Aurèle, par exemple, avait su édifier en lui-même, qu'aurait fait le destin, et qu'aurait-il pris à ses pièges, si ce n'est la pure lumière que répand une grande âme en devenant plus belle dans l'infortune?

Où se trouve le sage dans *OEdipe?* Est-ce Tirésias? Il connaît l'avenir, mais il ignore que la bonté et le pardon dominent l'avenir. Il sait la vérité sacrée, mais il ignore la vérité humaine. Il ignore la sagesse qui prend le malheur dans ses bras pour lui communiquer sa force. Ceux qui savent ne savent rien s'ils ne possèdent pas la force de l'amour, car le véritable sage n'est pas celui qui voit, mais celui qui, voyant le plus loin, aime le plus profondément les hommes. Voir sans aimer, c'est regarder dans les ténèbres.

XIV

On nous affirme que toutes les grandes tragédies ne nous offrent pas d'autre spectacle que la lutte de l'homme contre la fatalité. Je crois, au contraire, qu'il n'existe pas une seule tragédie où la fatalité règne réellement. J'ai beau les parcourir, je n'en trouve pas une où le héros combatte le destin pur et simple. Au fond, ce n'est jamais le destin, c'est toujours la sagesse qu'il attaque. Il n'y a de fatalité véritable qu'en certains malheurs extérieurs, tels que les maladies, les accidents, la mort inopinée de personnes aimées, etc., mais il n'existe pas de *fatalité intérieure*. La volonté de la sagesse a le pouvoir de rectifier tout ce qui n'atteint par mortellement notre corps. Souvent même elle parvient à s'introduire dans le domaine étroit des fatalités extérieures. Il est vrai qu'il faut accumuler en soi, un lourd, un patient trésor, pour que cette volonté trouve, au moment solennel, les forces nécessaires.

XV

La statue du destin projette une ombre énorme sur la vallée qu'elle semble inonder de ténèbres; mais cette ombre a des contours très nets pour ceux qui la regardent des flancs de la montagne. Nous naissons en elle, il est vrai; mais, il est permis à beaucoup d'hommes d'en sortir; et si notre faiblesse ou nos infirmités nous attachent jusqu'à la mort aux régions assombries, c'est déjà quelque chose que de s'en éloigner parfois par le désir et la pensée. Il est possible que le destin règne plus rigoureusement sur l'un ou l'autre d'entre nous, en vertu de l'hérédité, en vertu de l'instinct, en vertu d'autres lois plus inexorables encore, plus profondes et plus inconnues, mais alors même qu'il nous accable de malheurs immérités et étonnants, alors même qu'il nous oblige de faire ce que nous n'aurions jamais fait s'il n'avait pas violenté nos mains, le malheur advenu, l'acte accompli, il dépend de nous qu'il n'ait plus aucune influence sur ce qui va se passer dans notre âme. Il ne peut empêcher, quand il frappe un coeur de bonne volonté, que le malheur subi ou l'erreur reconnue n'ouvrent en ce coeur une source de clarté. Il ne peut empêcher qu'une âme ne transforme chacune de ses épreuves en pensées, en sentiments, en biens inviolables. Quelle que soit sa puissance au dehors, il s'arrête toujours quand il trouve sur le seuil l'un des gardiens silencieux d'une vie intérieure. Et si on lui permet alors l'accès de la demeure cachée, il n'y peut pénétrer qu'en hôte bienfaisant, pour ranimer l'atmosphère engourdie, renouveler la paix, augmenter la lumière, étendre la sérénité, éclairer l'horizon.

XVI

Encore une fois, qu'aurait fait le destin, s'il s'était trompé d'âme et qu'il eût tendu à Épicure, à Marc-Aurèle ou à Antonin-le-pieux les pièges qu'il tendit à OEdipe? Je consens même à supposer qu'il eût pu entraîner Antonin, par exemple, à massacrer son père et à profaner dans la même ignorance, la couche de sa mère. Qu'aurait-il ébranlé dans l'âme du noble souverain? La fin de tout ceci n'eût-elle pas été conforme au dénouement de tous les drames qui s'attaquent au sage, c'est-à-dire une grande douleur, il est vrai, mais aussi une grande lumière née de cette douleur même et déjà victorieuse à demi de son ombre? Antonin eût pleuré comme tous les hommes pleurent; mais les plus larges pleurs n'éteignent aucun rayon dans une âme qui n'a pas de rayons empruntés. Il y a pour le sage, de la douleur au désespoir, un long chemin que la sagesse n'a jamais parcouru. À la hauteur morale où la vie d'Antonin nous montre qu'il était parvenu, les pensées qui grandissent, les sentiments qui s'ennoblissent éclairent toutes les larmes. Il aurait accueilli le malheur dans la partie la plus vaste et la plus pure de son âme, et le malheur épouse, comme l'eau, toutes les formes du vase dans lequel on l'enferme. Antonin se serait résigné, disons-nous. Oui, mais encore faut-il remarquer que ce mot nous cache trop souvent ce qui a lieu dans un grand coeur. Il est facile à la première âme venue de s'imaginer qu'elle aussi se résigne. Hélas! ce n'est pas la résignation qui nous console, nous purifie et nous élève, mais les pensées et les vertus au nom desquelles on se résigne, et c'est ici que la sagesse récompense ses fidèles en proportion de leurs mérites.

Il existe des idées qu'aucune catastrophe ne peut atteindre. Il suffit d'ordinaire qu'une idée s'élève au-dessus de la vanité, de l'indifférence et de l'égoïsme quotidiens pour que celui qui la nourrit ne soit plus aussi vulnérable. Et c'est pourquoi, qu'il y ait bonheur ou malheur, l'homme le plus heureux sera toujours celui dans lequel la plus grande idée vit avec la plus grande ardeur. Si la fatalité l'eût voulu, Antonin le Pieux eût été incestueux et parricide peut-être, mais sa vie intérieure, loin de s'anéantir comme la vie d'OEdipe, eût été raffermie par ses désastres mêmes, et le destin eût pris la fuite, en abandonnant, tout autour du palais de l'empereur, ses réseaux et ses armes brisées, car de même que le triomphe des consuls et des dictateurs ne pouvait avoir lieu que dans Rome, le véritable triomphe du destin ne saurait avoir lieu que dans l'âme.

XVII

Où se trouve la fatalité dans *Hamlet*, le *Roi Lear* et *Macbeth*? Son trône n'est-il pas assis au centre même de la déraison du vieux roi, sur les marches inférieures de l'imagination du jeune prince et sur la cime des désirs maladifs du thane de Cawdor? Ne parlons pas de celui-ci, ni du père de Cordélia, dont l'inconscience trop manifeste ne sera contestée par personne, mais Hamlet, le penseur, est-il sage? Voit-il les crimes d'Elseneur d'assez haut? Il les aperçoit, semble-t-il, des sommets de l'intelligence, mais les sommets de certains sentiments, les sommets de la bonté, de la confiance, de l'indulgence et de l'amour, dans la lumineuse chaîne de montagnes de la sagesse, ne dominent-ils pas ceux de l'intelligence? Que serait-il advenu s'il avait contemplé les forfaits d'Elseneur des hauteurs d'où Marc-Aurèle et Fénelon, par exemple, les eussent contemplés? Et d'abord, n'arrive-t-il pas souvent qu'un crime qui sent peser sur lui le regard d'une âme plus puissante, suspende sa marche dans les ténèbres, de même que les abeilles suspendent leur travail quand un rayon de jour pénètre dans la ruche?

En tout cas, le destin véritable auquel Claudius et Gertrude s'étaient abandonnés, — car on ne se livre au destin que lorsqu'on fait le mal, — le destin véritable, qui est le destin intérieur, aurait suivi sa voie dans l'âme des coupables, mais aurait-il pu en sortir, aurait-il osé franchir la barrière éclatante et accusatrice que la simple présence d'un de ces sages eût mise en permanence devant les portes du palais? Si les destinées de ceux qui sont moins sages participent malgré elles aux destinées du sage qu'elles rencontrent, les destinés du sage sont rarement atteintes par des destinées inférieures. Dans les domaines de la fatalité, non plus que sur la terre, les fleuves ne remontent vers leurs sources. Mais pour en revenir à la première idée, vous imaginez-vous une âme puissante et souveraine, comme celle de Jésus à la place d'Hamlet, dans Elseneur, et que la tragédie suive son cours jusqu'aux quatre morts de la fin? Cela vous paraît-il possible? Est-ce que le crime le plus habile, en présence d'une sagesse profonde, ne ressemble pas un peu à ces spectacles que l'on offre le soir aux tout petits enfants et dont un rayon de soleil révèlerait la pauvreté et le mensonge? Voyez-vous Jésus-Christ, ou simplement le sage que vous avez peut-être rencontré, au milieu des ténèbres volontaires d'Elseneur? Qu'est-ce qui mène Hamlet, sinon une pensée aveugle qui lui dit que la vengeance est l'unique devoir? Mais fallait-il vraiment un effort surhumain pour reconnaître que la vengeance n'est jamais un devoir? Je le répète, Hamlet pense beaucoup, mais il n'est guère sage. Il ne paraît pas soupçonner où se trouve le défaut de la cuirasse du destin. Il ne suffit pas toujours de s'armer de pensées hautes pour le vaincre, car le destin sait opposer aux pensées hautes des pensées plus hautes encore; mais quel destin a jamais résisté à des pensées douces, simples, bonnes et loyales? La seule manière d'asservir le destin, c'est de faire le contraire du mal qu'il voudrait nous faire faire. Il n'y a pas de drame inévitable. Les catastrophes d'Elseneur n'ont lieu que parce que toutes les âmes se refusent à voir; mais une âme vivante contraint toutes les autres à entr'ouvrir les yeux. Où était-il écrit que Laërte, Ophélie, Gertrude, Hamlet et Claudius dussent mourir, si ce n'est dans l'aveuglement misérable d'Hamlet? Mais qu'y avait-il donc d'inévitable en cet aveuglement? Ne faisons pas intervenir le destin là où une pensée peut désarmer encore les puissances meurtrières. Il lui reste une part assez belle. Le destin, je retrouve son empire dans un mur qui me tombe sur la tête, dans la tempête qui évente un navire et dans l'épidémie qui atteint ceux que j'aime. Mais il n'entre jamais dans l'âme d'un homme qui ne l'appelle pas. Hamlet est malheureux parce qu'il marche dans des ténèbres inhumaines, et c'est son ignorance qui fixe son malheur. Il n'y a rien au monde qui obéisse plus longtemps que la fatalité à tous ceux qui osent lui donner des ordres. Horatio lui-même eût pu lui en donner jusqu'au dernier moment, mais il n'a pas eu l'énergie nécessaire pour sortir de l'ombre de son maître. Il eût suffi qu'une âme eût eu l'audace de crier la vérité dans Elseneur, pour que l'histoire d'Elseneur ne se fût pas écroulée tout entière dans des larmes de haine et d'horreur. Mais le mauvais hasard, aux doigts de la sagesse, est souple comme un jonc que l'on vient de couper et devient une barre d'airain meurtrièrement inflexible aux mains de l'inconscience. Une fois de plus, tout dépendait ici, non du destin, mais de la sagesse du plus sage, car Hamlet était le plus sage, et c'est pourquoi il devenait, par sa seule présence, le centre même du drame d'Elseneur — et la sagesse d'Hamlet ne dépendait que de lui-même.

XVIII

Si vous vous défiez des tragédies imaginaires, pénétrez dans l'un ou l'autre des grands drames de l'histoire authentique; vous verrez que la destinée et l'homme y ont les mêmes rapports, les mêmes habitudes, les mêmes impatiences, les mêmes soumissions et les mêmes révoltes. Vous verrez que là aussi la partie la plus active de ce que nous nous plaisons à nommer «fatalité» est une force créée par les hommes. Elle est énorme, il est vrai, mais rarement irrésistible. Elle ne sort pas, à un moment donné, d'un abîme inexorable, inaccessible et insondable. Elle est formée de l'énergie, des désirs, des pensées, des souffrances, des passions de nos frères, et nous devrions connaître ces passions puisqu'elles sont pareilles aux nôtres. Même dans les moments les plus étranges, dans les malheurs les plus mystérieux et les plus imprévus, nous n'avons presque jamais à lutter contre un ennemi invisible ou totalement inconnu. N'étendons pas à plaisir le domaine de l'inéluctable. Les hommes vraiment forts n'ignorent point qu'ils ne connaissent pas toutes les forces qui s'opposent à leurs projets, mais ils combattent contre celles qu'ils connaissent aussi courageusement que s'il n'y en avait pas d'autres, et triomphent souvent. Nous aurons singulièrement affermi notre sécurité, notre paix et notre bonheur, le jour où notre ignorance et notre indolence auront cessé d'appeler fatal tout ce que notre énergie et notre intelligence auraient dû appeler naturel et humain.

XIX

Voyez une mémorable victime du destin: Louis XVI. Jamais, semble-t-il, la fatalité ne voulut plus implacablement le malheur d'un pauvre homme, honnête, bon, doux, vertueux. Mais si on regarde l'histoire de plus près, de quoi est fait tout le venin de cette fatalité sinon des faiblesses, des hésitations, des petites duplicités, des inconséquences, de la vanité et de l'aveuglement de la victime? S'il est vrai qu'une sorte de prédestination domine toutes les circonstances d'une vie, cette prédestination ne saurait se trouver que dans notre caractère; et le caractère, n'est-ce pas ce qui devrait se modifier le plus facilement dans un homme de bonne volonté? N'est-ce pas, en fait, ce qui se modifie toujours dans la plupart des existences? Avez-vous, à trente ans, le caractère que vous aviez à vingt? Il est meilleur ou pire selon que vous avez vu triompher le mensonge et la haine, la déloyauté et la méchanceté, ou bien la vérité, l'amour et la bonté. Et vous avez cru voir triompher la haine ou l'amour, la vérité ou le mensonge d'après l'idée plus ou moins élevée que vous vous êtes faite peu à peu du bonheur et du but de la vie. C'est ce qui préoccupe notre secret désir qui semble naturellement l'emporter. Si vous tournez les yeux du côté du mal, le mal est partout victorieux; mais si vous avez appris à vos regards à s'attacher à la simplicité, à la sincérité et à la vérité, vous ne verrez au fond de toute chose que la victoire puissante et silencieuse de ce que vous aimez.

XX

Toutefois, n'allons pas juger Louis XVI du point de vue où nous sommes. Mettons-nous à sa place, au milieu de ses incertitudes, de son étonnement, de ses difficultés, de ses obscurités. Il est trop facile de prévoir ce qu'il eût fallu faire après que l'on sait tout ce qui a été fait. Nous aussi, dans nos troubles, dans nos hésitations, dans notre ignorance du devoir, on devra nous juger en cherchant à retrouver la trace de nos derniers pas sur le sable de la petite éminence d'où nous nous efforcions de découvrir l'avenir. Savons-nous mieux que Louis XVI ce qu'il convient de faire en ce moment? Ce qu'il faut abandonner et ce qu'il faut défendre? Flotterons-nous plus sagement que lui entre les droits de la raison humaine et ceux des circonstances? L'hésitation consciencieuse n'a-t-elle pas souvent tous les caractères d'un devoir? L'exemple du malheureux roi peut cependant nous enseigner une chose importante: c'est que dans un grand et noble doute, il faut toujours aller courageusement, directement et infiniment au delà de ce qui nous paraît raisonnable, réalisable et juste. L'idée que nous nous faisons du devoir, de la justice et de la vérité, si claire, si avancée, si indépendante qu'elle nous paraisse, ne l'est jamais autant qu'elle le sera tout naturellement quelques années, quelques siècles plus tard. Il est donc sage d'aller du moins aussi promptement que possible à la pointe extrême de ce que nous voyons, de ce que nous espérons. Si Louis XVI avait fait ce que nous aurions fait à sa place, maintenant que nous savons ce qu'il eût fallu faire, c'est-à-dire abdiquer franchement toutes les folies du préjugé royal, accepter loyalement la vérité nouvelle et la justice supérieure qu'on offrait à ses yeux, nous admirerions son génie. Or, il est probable que Louis XVI, qui n'était ni un méchant homme ni un imbécile, a pu voir, ne fût-ce qu'une minute, sa situation, du même oeil que l'eût vue un philosophe désintéressé. En tout cas, cela n'est pas, historiquement ou psychologiquement, impossible. Nous savons bien souvent, dans nos doutes solennels, où se trouve le point fixe, le sommet inaltérable du devoir, mais il nous semble qu'il y a, du devoir actuel à ce sommet trop solitaire et trop étincelant, une distance qu'il ne serait pas prudent de franchir tout de suite. Et pourtant, toute l'histoire de l'humanité, toute l'expérience de notre propre vie ne nous prouvent-elles pas que c'est toujours le plus haut sommet qui a raison, qu'il faut toujours finir par y monter de force, après avoir perdu un temps précieux sur la plupart des éminences intermédiaires? Qu'est-ce qu'un sage, un héros, un grand homme, sinon celui qui est allé tout seul, avant les autres, sur le plateau désert que tous apercevaient plus ou moins clairement?

XXI

Nous ne prétendons pas qu'il eût fallu que Louis XVI eût été un homme de ce genre, un homme de génie, bien que ce soit presque un devoir d'avoir du génie quand on tient dans ses mains la destinée d'un grand nombre de ses frères. Nous ne prétendons pas davantage que les meilleurs de nous eussent évité ses erreurs et par conséquent ses malheurs. Non; mais une chose est certaine, c'est qu'aucun de ces malheurs n'avait une origine surhumaine, n'était surnaturellement ou trop mystérieusement inévitable. Ils ne descendaient pas d'un autre monde; ils n'étaient pas envoyés par un Dieu monstrueux, incompréhensible et capricieux. Ils étaient nés d'une idée de justice méconnue, d'une idée de justice qui s'était reveillée en sursaut dans la vie, mais qui n'avait jamais dormi dans la raison de l'homme. Et qu'y a-t-il au monde de plus rassurant, de plus près de nous, de plus profondément humain qu'une idée de justice? Il était regrettable, au point de vue de la tranquillité de Louis XVI, que cette idée se fût précisément réveillée sous son règne; c'est à peu près tout ce qu'il pouvait reprocher au destin; et la plupart des reproches que nous lui faisons d'ordinaire ont la même valeur.

Pour le reste, il est très légitimement permis de supposer qu'un seul acte d'énergie, de loyauté totale, de sagesse désintéressée et noblement clairvoyante eût pu changer le cours des événements. Si la fuite à Varennes, qui était cependant un acte de duplicité et de faiblesse coupable, avait été organisée d'une manière un peu moins puérile, un peu moins absurde, comme aurait pu l'organiser tout homme habitué à la vie réelle, il n'est pas douteux que Louis XVI ne serait pas mort sur l'échafaud. Etait-ce un dieu ou son aveugle complaisance pour Marie-Antoinette qui le poussait à confier au sot, vaniteux et maladroit de Fersen les préparatifs et la direction du désastreux voyage? Etait-ce une force pleine de grands mystères ou sa légèreté, son insouciance, son inconscience, je ne sais quel abandon apathique et en même temps provocateur à son étoile, comme les nonchalants et les faibles en ont souvent dans les dangers, qui l'obligeait de mettre, à chaque relais, la tête à la portière de la berline, de façon à être reconnu trois ou quatre fois? Et dans le moment décisif, dans cette sinistre et haletante nuit de Varennes, qui est une de ces nuits de l'histoire où la fatalité eût dû régner à l'horizon comme une inébranlable montagne, ne la voit-on pas chanceler à chaque pas, cette fatalité, telle qu'un enfant qui marche pour la première fois et qui ne sait si c'est ce caillou blanc ou cette touffe d'herbe qui le fera choir à droite ou à gauche dans le sentier? À l'arrêt tragique de la berline, dans la nuit noire, au cri terrible poussé par un adolescent, le jeune Drouet: «*Au nom de la nation!...*» un ordre du roi dans la voiture, un coup de fouet, un coup de collier, et vous et moi, nous ne serions probablement pas nés, car l'histoire du monde n'eût pas été la même. Et puis devant le maire, respectueux, déconcerté, hésitant, et qui n'attend qu'un mot impérieux pour ouvrir toutes les portes, et à l'auberge, et dans la boutique de M. Sauce, le brave épicier du village, enfin à l'arrivée de Goguelat et de Choiseul, entourés des hussards qui apportent le salut, à vingt reprises, tout n'a-t-il pas dépendu d'un oui ou d'un non, d'un pas, d'un geste, d'un regard? Mettez dix hommes que vous connaissez assez intimement dans la situation du roi de France, et vous prévoirez à coup sûr l'issue de leurs dix nuits. Ah! c'est bien là la nuit honteuse, la nuit révélatrice de la fatalité! Vit-on jamais plus clairement la dépendance, la misère familière et effarée de cette grande force mystérieuse qui dans nos heures trop résignées semble peser sur notre vie? La vit-on jamais, plus complètement dépouillée de ses vêtements empruntés, imposants et trompeurs, aller et venir, cent fois de suite et tout en larmes, de la mort à la vie, de la vie à la mort, et se jeter enfin, comme une femme épouvantée, dans les bras d'un malheureux homme un peu moins inexistant, un peu moins indécis qu'elle-même, pour implorer jusqu'au matin une décision, une existence qu'elle ne trouve jamais qu'au fond d'une intelligence, d'une volonté humaine?

XXII

Pourtant, ce n'est pas là toute la vérité. Il est salutaire d'envisager les choses de cette façon, de diminuer ainsi le rôle de la fatalité, de la traiter comme une femme hésitante et égarée qu'il convient de recueillir et de guider. Cela nous donne, en attendant notre heure dangereuse, une confiance, une initiative, un courage sans lesquels on ne ferait rien d'utile: mais cela ne veut pas dire qu'il n'y ait pas autre chose, qu'il ne faille jamais compter qu'avec sa volonté et son intelligence. L'intelligence et la volonté, comme des soldats victorieux, doivent s'habituer à vivre aux dépens de tout ce qui leur fait la guerre. Elles doivent apprendre à se nourrir de l'inconnu qui les domine. On ne sort du bonheur trop étroit des hommes sans mission, on ne sort des actes ordinaires, qu'en marchant avec une certitude volontaire dans le sentier que l'on connaît, tout en ne cessant pas de songer à l'espace inexploré à travers lequel ce sentier se déroule. Accoutumons-nous à agir comme si tout nous était soumis; mais en entretenant dans notre âme une pensée chargée de se soumettre noblement aux grandes forces que nous rencontrerons. Il est nécessaire que la main croie que l'on a tout prévu; mais qu'une idée secrète, inviolable, incorruptible, n'oublie jamais que tout ce qui est grand est presque toujours imprévu. C'est l'imprévu, c'est l'inconnu qui exécutent ce que nous n'aurions pas osé tenter; mais ils ne viennent à notre aide que s'ils trouvent au fond de notre coeur un autel qui leur soit dédié. Voyez la part que, dans leurs actes extraordinaires, les hommes les plus doués de volonté, comme Napoléon, savent réserver à la fortune. Ceux qui n'ont aucune espérance généreuse emprisonnent le hasard, comme un enfant chétif; les autres lui livrent toutes grandes les plaines sans limites que l'être humain n'a pas encore la force de parcourir, mais ne l'y perdent pas de vue.

XXIII

Il en est de ces heures convulsives de l'histoire comme des tempêtes sur la mer. On vient du fond des plaines, on accourt sur la plage, on regarde du haut des falaises, on attend quelque chose, on interroge les vagues énormes avec je ne sais quelle curiosité puérilement passionnée. En voici une trois fois plus haute et plus furieuse que les autres. Elle s'avance comme un monstre aux muscles transparents. Elle se déroule en hâte du bout de l'horizon, porteuse, semble-t-il, d'une révélation urgente et décisive. Elle creuse derrière elle un sillon si profond qu'il va livrer sans doute l'un des secrets de l'Océan; et de même qu'entre les plus indolentes petites vagues des jours sans souffle et sans nuage, des flots limpides et insondables, roulent sur d'autres flots limpides et insondables. Pas un être vivant, pas une herbe, pas une pierre ne surgit.

Si quelque chose pouvait décourager le sage, qui n'est point sage tant qu'un motif inattendu de découragement n'illumine pas son étonnement et n'élève pas sa curiosité, on trouverait dans cette même Révolution française, plus d'une destinée infiniment plus sombre, plus écrasante et plus inexplicable que celle de Louis XVI. Je songe aux Girondins, je songe surtout à l'admirable Vergniaud. Même aujourd'hui que nous savons tout ce que l'avenir lui cachait, et que nous devinons à peu près où voulait en venir l'idée instinctive d'un siècle exceptionnel, il nous serait probablement impossible d'agir plus sagement, plus noblement que lui. Il serait, en tout cas, difficile à tout homme, jeté par le hasard dans le brasier d'un drame qui n'avait plus de bornes, d'unir à un plus grand esprit un plus grand caractère. Le beau fantôme sans souillure, le bel être sans crainte, sans arrière-pensées, sans erreurs, sans faiblesses, que parfois nous formons au fond de notre coeur, de toutes nos forces les plus pures, de toute notre sagesse et de tout notre amour, voudrait aller s'asseoir non loin de lui, sur ces bancs déjà déserts de la Convention «où semblait planer l'ombre de la mort» pour penser, pour parler, pour agir comme il fit. Il aperçut ce qu'il y avait d'éternel et d'infaillible de l'autre côté du moment tragique, il sut rester fidèle à l'humanité et à l'indulgence durant des jours terribles où l'humanité et l'indulgence semblaient les pires ennemis d'un idéal de justice auquel il avait tout sacrifié; et, «dans un grand et noble doute, il alla courageusement, directement et infiniment au delà de ce qui paraissait raisonnable, réalisable et juste». La mort, violente mais attendue, vint à sa rencontre avant qu'il eût fait la moitié du chemin, pour nous apprendre que bien souvent, dans ces étranges luttes de l'homme et du destin, il ne s'agit pas de sauver la vie de notre corps, mais celle de nos sentiments les plus beaux et de nos meilleures pensées.

Qu'importent mes meilleures pensées si je n'existe plus? disent les uns; que reste-t-il de moi, si pour conserver ma vie, tout ce que j'aime doit périr dans mon coeur et dans mon esprit? leur répondent les autres. Et n'est-ce pas à ce choix-là que se réduit presque toujours toute la morale, toute la vertu, tout l'héroïsme humain?

XXIV

Mais qu'est-ce enfin que cette sagesse dont nous parlons ainsi? N'essayons pas de la définir trop strictement, car ce serait l'emprisonner. Tous ceux qui le tentèrent font songer à un homme qui éteindrait d'abord une lumière afin d'étudier la nature même de la lumière. Il ne trouvera jamais qu'une mèche noircie et des cendres. «Le mot sage, observe Joubert, le mot sage dit à un enfant est un mot qu'il comprend toujours et qu'on ne lui explique jamais.» Acceptons-le comme l'accepte l'enfant, afin qu'il grandisse en même temps que nous. Disons de la sagesse ce que soeur Hadewijck, l'ennemie mystérieuse de Ruijsbroeck l'admirable, dit de l'Amour: «Son plus profond abîme est sa plus belle forme.» Il ne faut pas que la sagesse ait une forme; il faut que sa beauté soit aussi variable que la beauté des flammes. Ce n'est pas une déesse immobile, éternellement assise sur son trône. C'est Minerve qui nous accompagne, qui monte et qui descend, qui pleure et qui joue avec nous. Vous n'êtes vraiment sage que si votre sagesse se transforme sans cesse de votre enfance à votre mort. Plus le sens que vous attachez au mot sage devient beau et profond, plus vous devenez sage; et chaque degré que l'on gravit en s'élevant vers la sagesse augmente aux yeux de l'âme l'étendue que la sagesse ne pourra jamais parcourir.

XXV

Être sage, c'est avoir conscience de soi-même; mais quand on a acquis une conscience assez vaste de son être, on s'aperçoit que la véritable sagesse est une chose bien plus profonde encore que la conscience. L'agrandissement de la conscience ne doit être désiré que pour l'inconscience de plus en plus haute qu'elle dévoile; et c'est sur les hauteurs de cette inconscience nouvelle que se trouvent les sources de la sagesse la plus pure. Tous les hommes ont le même héritage d'inconscience; mais une partie de ce domaine est située en deçà, et une autre au delà de la conscience normale. La plupart ne sortent pas de la première zone; mais ceux qui aiment la sagesse n'ont de repos qu'ils n'aient ouvert des voies nouvelles vers la seconde. Si j'aime, et que j'aie acquis de mon amour la conscience la plus complète que l'homme puisse acquérir, cet amour sera éclairé par une inconscience d'une tout autre nature que l'inconscience qui assombrit les amours ordinaires. La dernière n'entoure que l'animal; la première environne le Dieu. Mais elle ne l'environne sensiblement que lorsqu'il a perdu le sentiment de la première. Nous ne sortons jamais de l'inconscience, mais nous pouvons améliorer sans cesse la qualité de l'inconscience qui nous baigne.

XXVI

Être sage, ce n'est pas adorer sa raison seule, et ce n'est pas seulement avoir accoutumé cette raison à triompher sans peine de l'instinct inférieur. Ce seraient là des triomphes très stériles s'ils n'enseignaient à la raison une soumission plus grande à un instinct d'un autre genre, qui est l'instinct de l'âme. Ces triomphes quotidiens ne doivent être poursuivis que parce qu'ils permettent à un instinct de plus en plus divin de se manifester de plus en plus librement. Leur but ne se trouve pas en eux-mêmes. Ils ne servent qu'à débarrasser la route de la destinée de notre âme qui est toujours une destinée de purification et de lumière.

XXVII

La raison ouvre la porte à la sagesse, mais la sagesse la plus vivante ne se trouve pas dans la raison. La raison ferme la porte aux destinées mauvaises, mais c'est notre sagesse qui ouvre à l'horizon une autre porte aux destinées propices. La raison se défend, interdit, recule, élimine, détruit; la sagesse attaque, ordonne, avance, ajoute, augmente et crée. La sagesse est bien plutôt un certain appétit de nôtre âme qu'un produit de notre raison. Elle vit au-dessus de la raison; aussi le propre de la véritable sagesse est-il de faire mille choses que la raison n'approuve pas, ou n'approuve qu'à la longue. C'est ainsi que la sagesse a dit un jour à la raison qu'il fallait rendre le bien pour le mal et aimer ses ennemis. La raison, s'élevant ce jour-là sur ce qu'il y a de plus haut dans son empire, a fini par l'admettre. Mais la sagesse n'est pas encore satisfaite; et toute seule elle cherche bien plus loin.

XXVIII

Si la sagesse n'obéissait qu'à la raison, et s'il suffisait qu'elle triomphât exactement des conseils de l'instinct, elle serait toujours pareille à elle-même. Il n'y aurait qu'une seule sagesse; et l'homme en aurait fait le tour, parce que la raison a déjà fait plus d'une fois le tour de son domaine.

Or, s'il y a plusieurs points fixes dans la sagesse, rien n'est cependant plus différent que l'atmosphère qui l'enveloppe dans Socrate et dans Jésus-Christ, dans Aristide et dans Marc-Aurèle, dans Fénelon et dans Jean-Paul. Rien ne se transformerait plus complètement qu'un événement pareil qui tomberait le même jour dans les eaux vives de la sagesse de ces hommes, au lieu que s'il tombait dans l'eau stagnante de leur raison il y demeurerait exactement semblable à ce qu'il est en soi. Imaginez que Jésus-Christ et Socrate rencontrent la femme adultère; leur raison dira à peu près les mêmes choses, mais leur sagesse, par delà leurs paroles, par delà leurs pensées, aura des mouvements qui n'appartiendront pas aux mêmes mondes. C'est la vie même de la sagesse qui veut ces différences. Les sages partent tous du même point, qui est le seuil de la raison. Mais ils commencent à s'éloigner les uns des autres à compter du moment où les triomphes de la raison n'hésitent plus; c'est-à-dire à compter du moment où ils pénètrent librement dans la région de l'inconscience supérieure.

XXIX

Il y a une grande différence entre dire: «Ceci est raisonnable», et dire: «Ceci est sage». Ce qui est raisonnable n'est pas nécessairement sage, et ce qui est très sage n'est presque jamais raisonnable aux yeux de la raison trop froide. La raison, par exemple, enfante la justice; et la sagesse enfante la bonté, laquelle, remarque le vieux Plutarque, «s'étend beaucoup plus loin que la justice». Est-ce de la raison ou bien de la sagesse que dépend l'héroïsme? On pourrait dire que la sagesse n'est que le sentiment de l'infini appliqué à notre vie morale. La raison a aussi, il est vrai, le sentiment de l'infini, mais en elle ce sentiment n'est qu'une constatation inanimée. Elle se doit presque à elle-même de n'en tenir aucun compte dans la vie; au lieu que la sagesse est sage à proportion de la prédominance active que l'infini acquiert sur tout ce qu'elle fait faire.

Il n'y a pas d'amour dans la raison; il y en a beaucoup dans la sagesse; et la sagesse la plus haute ne se discerne guère d'avec ce qu'il y a de plus pur dans l'amour. Or, l'amour est la forme la plus divine de l'infini; et en même temps, sans doute parce qu'elle est la plus divine, la plus profondément humaine. Ne pourrait-on pas dire que la sagesse est la victoire de la raison divine sur la raison humaine?

XXX

On ne saurait être trop raisonnable; mais seule la sagesse a droit de faire appel à la raison. Il n'est pas sage celui dont la raison n'a pas appris à obéir au premier signe de l'amour. Qu'aurait fait Jésus-Christ, qu'auraient fait les héros si leur raison ne se fût pas soumise? Est-ce qu'un acte héroïque ne dépasse pas toujours les bornes de la raison? et cependant qui donc oserait dire que le héros n'est pas plus sage que ceux qui ne bougent pas parce qu'ils n'écoutent que leur raison? Il faut le répéter encore; ce n'est pas la raison, c'est l'amour qui doit être le vase dans lequel on cultive la sagesse véritable. Il est vrai que la raison se trouve à la racine de la sagesse; mais la sagesse n'est pas la fleur de la raison. Car il ne s'agit pas ici, pour employer une autre métaphore, de la sagesse logique, qui est sa petite-fille, mais d'une autre sagesse, qui est la soeur préférée de l'amour.

La raison et l'amour luttent d'abord violemment dans une âme qui s'élève, mais la sagesse naît de la paix qui finit par se faire entre l'amour et la raison. Et cette paix est d'autant plus profonde que la raison a cédé plus de droits à l'amour.

XXXI

La sagesse est la lumière de l'amour, et l'amour est l'aliment de la lumière. Plus l'amour est profond, plus l'amour devient sage; et plus la sagesse s'élève, plus elle s'approche de l'amour. Aimez et vous deviendrez sage; devenez sage et vous devrez aimer. On n'aime véritablement qu'en devenant meilleur; et devenir meilleur c'est devenir plus sage. Il n'y a pas d'être au monde qui n'améliore quelque chose en son âme dès qu'il aime un autre être, lors même qu'il ne s'agit que d'un amour vulgaire; et ceux qui ne cessent pas d'aimer, ne continuent d'aimer que parce qu'ils ne cessent pas de devenir meilleurs. L'amour alimente la sagesse, et la sagesse alimente l'amour; et c'est un cercle de lumière au centre duquel ceux qui aiment embrassent ceux qui sont sages. La sagesse et l'amour ne se peuvent séparer; et dans le paradis de Swedenborg, l'épouse n'est que « l'amour de la sagesse du sage».

XXXII

«Notre raison, dit Fénelon, ne consiste que dans nos idées claires.» Mais notre sagesse, pourrions-nous ajouter, c'est-à-dire ce qu'il y a de meilleur dans notre âme et dans notre caractère, se trouve surtout dans nos idées qui ne sont pas encore tout à fait claires. Si l'on ne se laissait guider dans la vie que par ses idées claires, on ne tarderait pas à devenir un homme digne de peu d'amour, digne de peu d'estime. Au fond, rien n'est moins clair que les raisons par lesquelles nous nous persuadons qu'il convient d'être bon, juste, généreux et d'avoir en toute chose les sentiments et les pensées les plus nobles que nous puissions atteindre. Heureusement, plus on a d'idées claires, plus on apprend à respecter celles qui ne sont pas encore claires. Il faut tâcher d'avoir le plus grand nombre possible d'idées aussi claires que possible afin d'éveiller en son âme un plus grand nombre d'idées qui soient encore obscures. Les idées claires semblent guider parfois notre vie extérieure, mais il est incontestable que les autres se trouvent à la tête de notre vie intime, et la vie que l'on voit finit toujours par obéir à celle qu'on ne voit pas. Or, du nombre, de la qualité et de la puissance de nos idées claires, dépendent le nombre, la qualité et la puissance de nos idées obscures; et il est extrêmement probable que la plupart des vérités définitives que nous cherchons avec tant d'ardeur, attendent patiemment leur heure au milieu de la foule de nos idées obscures. Il importe d'abréger leur attente. Une belle idée claire que nous éveillons en nous, ne manquera jamais d'aller éveiller à son tour une belle idée obscure, et quand l'idée obscure sera devenue claire en vieillissant,—car la clarté parfaite n'est-elle pas d'ordinaire le signe de la lassitude des idées?—elle ira, elle aussi, tirer de son sommeil une autre idée obscure, plus belle et plus haute qu'elle n'était elle-même en son ombre, et peut-être qu'en tâtonnant ainsi, successivement, sans se décourager, le long des lignes endormies, l'une d'elles posera quelque jour, par hasard, sa petite main presque invisible encore sur l'épaule d'une grande vérité.

XXXIII

Idées claires, idées obscures, coeur, intelligence, volonté, raison, âme; au fond, voilà des mots qui désignent à peu près la même chose, à savoir, la richesse spirituelle d'un être. L'âme n'est sans doute que le plus beau désir de notre intelligence, et Dieu n'est peut-être à son tour que le plus beau des désirs de notre âme. Il y a tant d'obscurité en tout ceci que l'on peut tout au mieux tenter de diviser l'obscurité à l'aide de grosses lignes, souvent plus noires encore que les plans qu'elles coupent. Se connaître soi-même est peut-être le seul idéal acceptable qui nous reste, mais cette connaissance, qui semble, au premier abord, dépendre de notre raison seule, jusqu'à quel point en dépend-elle? L'homme le meilleur, le plus juste, le plus vrai, le plus moral en un mot, ne devrait-il pas être celui qui se serait le plus exactement rendu compte de sa situation dans l'univers? Mais qui peut croire de bonne foi qu'il s'en soit rendu compte; et la morale la plus positive n'étend-elle pas toutes ses racines dans une sorte d'inconscience mystique? Le plus beau désir de notre intelligence ne fait guère que passer par notre intelligence; et nous croyons à tort que la moisson, parce qu'elle passe sur la route, a été récoltée sur la route. La raison la plus nette, alors même qu'elle explore son domaine, sort à chaque pas de ce domaine.

Cependant, c'est par l'intelligence que nous commençons d'embellir ce désir, le reste ne dépend pas entièrement de nous; mais ce reste ne se met en mouvement que si l'intelligence lui a donné le branle. La raison, qui est la fille aînée de notre intelligence, doit s'asseoir sur le seuil de notre vie morale, après avoir ouvert les portes souterraines derrière lesquelles sommeillent prisonnières les forces vives et instinctives de notre être. Elle attend, sa lampe à la main; et sa seule présence rend ce seuil inabordable à tout ce qui n'est pas encore conforme à la nature de la lumière. Plus avant, dans les régions où ses rayons ne pénètrent pas, la vie obscure continue. Elle ne s'en inquiète point, elle s'en réjouit au contraire. Elle sait qu'aux yeux du Dieu qu'elle désire, tout ce qui n'a pas franchi l'arcade lumineuse, songe, pensée, acte même, ne peut rien ajouter, ne peut rien enlever à l'être idéal qu'elle forme. Le devoir de sa flamme est d'être aussi claire, aussi étendue que possible, et de ne pas abandonner son poste. Elle n'hésite pas tant qu'il n'y a qu'une agitation d'instincts inférieurs et de ténèbres. Mais il arrive que parmi les captives qui s'éveillent, des forces plus éclatantes qu'elle-même s'approchent de l'entrée. Elles répandent une lumière plus immatérielle, plus diffuse, plus incompréhensible que celle de la flamme nette et ferme que protège sa main. Ce sont les puissances de l'amour, du bien inexplicable, d'autres plus mystérieuses, plus infinies encore qui demandent à passer. Que faire? Si elle s'est assise sur le seuil, alors qu'elle n'avait pas acquis le droit de s'y asseoir, parce qu'elle n'avait pas encore eu le courage d'apprendre qu'elle n'était pas seule au monde, elle se trouble, elle a peur, elle referme les portes; et si jamais elle se résout à les rouvrir, elle ne retrouve qu'une poignée de cendres légères au bas des marches sombres. Mais si sa force ne tremble pas, parce que tout ce qu'elle n'a pu apprendre lui a du moins appris qu'aucune lumière n'est dangereuse; que dans la vie de la raison on peut risquer la raison même dans une clarté plus grande, d'ineffables échanges auront lieu, de lampe à lampe, sur le seuil. Des gouttes d'une huile inconnue se mêleront avec l'huile de la sagesse humaine; et quand les blanches étrangères seront passées, la flamme de sa lampe, à jamais transformée, s'élèvera plus haute, plus puissante et plus pure entre les colonnes du porche agrandi.

XXXIV

Abandonnons ici la sagesse isolée pour revenir à celle qui marche vers la tombe parmi le grand troupeau des destinées humaines. Est-il permis de dire que le destin du sage ne se mêle jamais au destin du méchant ou à celui de l'âme folle? Au contraire, toutes les existences s'entrecroisent sans cesse; et les fils d'or s'enroulent autour des fils de chanvre dans le tissu de la plupart des aventures. Il y a des malheurs plus lents et d'un aspect moins effrayant que ceux d'OEdipe ou du prince d'Elseneur, et qui ne baissent pas les yeux sous les regards de la justice, de l'amour ou de la vérité. Ceux qui parlent des avantages de la sagesse ne sont jamais plus sages que lorsqu'ils reconnaissent de bonne foi, sans amertume comme sans orgueil, que la sagesse n'accorde presque rien à ses fidèles que ne puissent dédaigner les ignorants ou les méchants. Il arrive maintes fois que l'approche du sage ne change pas grand'chose à ce que les hommes aperçoivent, soit qu'il vienne trop tard, soit qu'il passe trop vite et qu'il n'y ait pas eu de contact véritable, soit qu'il ait à lutter contre des forces accumulées par un trop grand nombre d'êtres depuis un trop grand nombre de jours. Il ne fait pas de miracles extérieurs, il ne sauve jamais que ce qui peut encore être sauvé selon les lois ordinaires de la vie, et lui-même, il se peut qu'il soit pris dans un grand tourbillon inexorable. Mais alors même qu'il périt, il peut se dire qu'il périt sans avoir été, comme il arrive presque toujours, bien des semaines, bien des années peut-être avant la catastrophe, le témoin impuissant et désespéré de la ruine de son âme. Et puis, entendons-nous, sauver quelqu'un selon la vie qui contient les deux vies, ce n'est pas nécessairement l'arracher à la mort ou aux désastres du dehors; mais c'est certainement le rendre plus heureux en le rendant un peu meilleur. Sauver moralement c'est tout, et cela semble, en somme, comme tout ce qui a lieu sur les sommets de l'être, une bien petite chose. Est-ce que le bon larron n'a pas été sauvé, non seulement au sens chrétien, mais encore au sens plus parfait de ce mot? Cependant il devait mourir dans l'heure même, mais il mourait éternellement heureux parce qu'il avait été aimé au tout dernier moment; et qu'un être infiniment sage avait su lui montrer que son âme n'était pas inutile, qu'elle avait été bonne elle aussi et n'était pas passée inaperçue sur cette terre....

XXXV

À mesure qu'on descend les degrés de la vie, on descend en même temps dans le secret d'un plus grand nombre de tristesses et d'impuissances. On voit alors que bien des âmes végètent autour de nous parce qu'elles se croient inutiles, qu'elles s'imaginent que personne ne les a jamais regardées, et qu'elles n'ont rien en elles qui puisse les faire aimer. Mais une heure ne finit-elle pas par sonner pour le sage, où il regarde, approuve, et aime toute âme qui existe, rien que parce qu'elle possède le don mystérieux d'exister? Une heure ne finit-elle pas par sonner, où il voit toutes les forces, toutes les vérités et toutes les vertus au fond de toutes les faiblesses, de tous les vices et de tous les mensonges? Heure claire et bénie où la méchanceté n'est plus que la bonté qui a perdu son guide, où la trahison n'est que la loyauté qui ne retrouve plus le chemin du bonheur, où la haine n'est plus que l'amour, qui ouvre avec angoisse la porte de son tombeau. C'est alors que l'histoire du bon larron devient, sans qu'on s'en doute, l'histoire de tous ceux qui entourent l'homme juste; et dans le plus humble des êtres qu'un regard, qu'une parole, qu'un silence a sauvé de la sorte, le bonheur véritable que le destin ne peut atteindre, oubliera, jusqu'à la venue de la nuit, comme en l'âme de Socrate, que la coupe mortelle a été bue avant le coucher du soleil.

XXXVI

Au reste, la vie intérieure n'est peut-être pas ce qu'on pense. Il y a autant de genres de vies intérieures qu'il y en a d'extérieures. Les plus petits pénètrent en ces domaines calmes aussi bien que les grands; et ce n'est pas toujours par les portes de l'intelligence qu'on y entre. Il arrive bien souvent que celui qui sait tout frappe vainement à ces portes, et que celui qui ne sait rien lui répond du dedans. Certes, la vie intérieure la plus sûre, la plus belle et la plus durable est celle que la conscience édifie lentement en elle-même, à l'aide des éléments les plus limpides de notre âme. Il est sage, celui qui apprend à entretenir cette vie avec tout ce que le hasard lui apporte chaque jour. Il est sage, celui en qui une déception ou une trahison ne descendent que pour purifier la sagesse davantage. Il est sage, celui en qui le mal lui-même est obligé d'alimenter le bûcher de l'amour. Il est sage celui qui a pris l'habitude de ne plus voir en sa souffrance que la lumière qu'elle répand en son coeur et qui ne regarde jamais l'ombre qu'elle étend sur ceux qui l'ont fait naître. Il est plus sage encore celui en qui les joies et les douleurs n'augmentent pas seulement la conscience, mais font voir en même temps qu'il y a quelque chose de supérieur à la conscience même. C'est ici qu'on atteint les sommets de la vie intérieure, sommets d'où l'on domine enfin les flammes qui l'éclairent. Mais c'est la part du petit nombre, et l'on peut vivre heureux dans les vallées moins ardentes où s'agitent les racines assombries de ces flammes. Il est des existences plus obscures qui connaissent aussi leurs refuges. Il y a des vies intérieures instinctives. Il y a des âmes sans initiative ou sans intelligence qui ne trouveront jamais le sentier qui descend en elles-mêmes, qui ne verront jamais ce qu'elles possèdent dans cette retraite, et qui y agissent néanmoins de la même façon que celles dont l'intelligence en a pesé tous les trésors. Il existe des êtres qui, tout en ignorant qu'il est la seule étoile fixe de la conscience la plus haute, ne veulent que le bien, sans qu'ils sachent pourquoi ils le veulent. Or, toute vie intérieure commence moins au moment où l'intelligence se développe qu'au moment où l'âme devient bonne. Il est assez étrange qu'il ne soit pas possible d'acquérir une vie intérieure dans le mal. Tout être qui ne possède pas quelque noblesse d'âme n'a pas de vie intérieure. Il aura beau se connaître, peut-être saura-t-il pourquoi il n'est pas bon, mais il n'aura ni cette force, ni ce refuge, ni ce trésor de satisfactions invisibles que possède tout homme qui peut rentrer sans crainte dans son coeur. La vie intérieure n'est faite que d'un certain bonheur de l'âme, et l'âme n'est heureuse que lorsqu'elle peut aimer en elle quelque chose de pur. Il arrive qu'elle se trompe dans son choix: mais alors même qu'elle se trompe, elle sera plus heureuse que l'âme qui n'a pas eu l'occasion de choisir.

XXXVII

Aussi est-ce déjà sauver quelqu'un que de faire qu'il aime le mal un peu moins qu'il ne l'aimait, car c'est l'aider à entreprendre tout au fond de son âme l'édification du refuge contre lequel la destinée viendra briser ses armes. Ce refuge est le monument de la conscience ou de l'amour, peu importe, car l'amour est la conscience qui se cherche encore obscurément, tandis que la conscience véritable est l'amour qui se retrouve enfin dans la clarté. Or, c'est au plus profond de ce refuge que l'âme allume le feu intime de sa joie. La joie de l'âme qui écarte la tristesse que laissent derrière elles les destinées mauvaises, de même que le feu matériel écarte l'influence des maladies qui règnent sur la terre, la joie de l'âme n'est pas semblable aux autres joies. Elle ne vient ni d'un bonheur extérieur, ni d'une satisfaction de l'amour-propre. Car sous la joie de l'amour-propre qui diminue à mesure que l'âme s'améliore, il y a la joie de l'amour pur qui s'accroît à mesure que l'âme s'ennoblit. Non, cette joie ne naît point de l'orgueil; et ce n'est pas parce qu'elle peut sourire à sa beauté que l'âme se sent heureuse. Une âme qui a acquis quelque conscience d'elle-même a le droit de savoir qu'elle est belle; mais tout ce qu'elle ajoute trop volontairement à la conscience de sa beauté, elle l'enlève peut-être à l'inconscience de l'amour. Et le premier devoir de la conscience qui se découvre est de nous enseigner le respect de l'inconscience, qui ne veut pas encore se dévoiler. Mais la joie dont je parle n'ôte pas à l'amour ce qu'elle ajoute à la conscience. Au contraire, c'est en elle, ce qui n'a lieu nulle autre part, que la conscience se nourrit de l'amour, cependant que l'amour s'augmente de la conscience. Un esprit qui s'élève a des bonheurs que ne connaît jamais un corps qui est heureux; mais une âme qui s'améliore a des joies que ne connaîtra pas toujours un esprit qui s'élève. Il est vrai que l'esprit qui s'élève et l'âme qui s'améliore ont coutume de travailler ensemble à affermir l'édifice intérieur. Mais il arrive aussi qu'ils travaillent séparément et que rien ne relie les deux enceintes qu'ils construisent. S'il en était ainsi, et que l'être que j'aime le plus au monde vînt me demander quel choix il lui faut faire, et quel est le refuge le plus profond, le plus inattaquable et le plus doux, je lui dirais d'abriter sa destinée dans le refuge de l'âme qui s'améliore.

XXXVIII

Le sage ne souffrira jamais? Aucun orage n'assombrira le ciel de sa demeure? Personne ne lui tendra de piège? Sa femme et ses amis ne le trahiront point? Ce qu'il avait cru noble ne deviendra pas vil? Ni son père, ni sa mère, ni ses fils, ni ses frères ne mourront comme les autres? Toutes les voies par lesquelles la douleur entre en nous seront donc défendues par des anges? Et Jésus-Christ n'a pas pleuré devant le tombeau de Lazare? Et Marc-Aurèle n'a pas souffert entre son fils Commode, en qui le monstre apparaissait déjà, et sa femme Faustine, qu'il aimait et qui ne l'aima point? Et Paul-Émile, aussi sage que Timoléon, n'a pas gémi sous la main du destin quand l'aîné de ses fils mourut cinq jours avant son triomphe dans Rome et le second trois jours après? Est-ce donc là l'abri que la sagesse offre au bonheur? Nous faut-il effacer ce que nous avons dit, et inscrire la sagesse au nombre de ces illusions par lesquelles l'âme humaine tente de justifier aux yeux de la raison des désirs que l'expérience déclare presque toujours déraisonnables?

XXXIX

En vérité, le sage souffre aussi. Il souffre, si la souffrance est l'un des éléments de la sagesse. Il souffre peut-être plus qu'un autre homme, parce qu'il est un homme plus complet. Il souffre davantage, parce que moins on est seul, plus on souffre, et que plus l'homme est sage, moins il lui semble qu'il est seul. Il souffrira dans sa chair, dans son coeur et dans son esprit, parce qu'il y a des parties de la chair, du coeur et de l'esprit qu'aucune sagesse de ce monde ne peut disputer au destin. Aussi, n'est-ce pas la souffrance qu'il s'agit d'éviter, mais le découragement et les chaînes qu'elle apporte à celui qui l'accueille comme un maître et non comme le messager du personnage plus important, qu'un détour du chemin dérobe encore à notre vue. Certes, le sage, tout comme son voisin, sera réveillé en sursaut par les coups dont le messager importun ébranlera les murs de sa demeure. Il faudra qu'il descende, il faudra qu'il lui parle. Mais, tout en lui parlant, il regardera plus d'une fois par-dessus l'épaule du malheur matinal, pour interroger, dans la poussière de l'horizon, la grande idée qu'il précède peut-être. Au fond, quand on y songe au milieu du bonheur, le mal dont le destin peut nous faire la surprise nous semble bien petit. Je reconnais que le mal advenu, les proportions seront changées, mais il n'en est pas moins certain que s'il voulait éteindre en nous le foyer permanent du courage, il faudrait qu'il réussît à avilir définitivement au fond de notre coeur tout ce que nous aimons, tout ce que nous admirons, tout ce que nous adorons. Et quelle puissance étrangère parvient à avilir un sentiment et une idée, si nous ne les détrônons pas nous-mêmes? Hormis les souffrances physiques, existe-t-il une douleur qui puisse nous atteindre autrement que par nos pensées? Et qui donc fournit à nos pensées les armes à l'aide desquelles elles nous attaquent ou nous défendent? On souffre peu de sa souffrance même, on souffre énormément de la manière dont on l'accepte. «Il fut malheureux par sa faute, dit Anatole France, en parlant de l'un de ceux qui ne regardent jamais par-dessus l'épaule du messager brutal, il fut malheureux par sa faute, car toutes les misères véritables sont intérieures et causées par nous-mêmes. Nous croyons faussement qu'elles viennent du dehors. Mais nous les formons au dedans de nous, de notre propre substance.»

XL

La force active d'un événement ne se trouve que dans la manière dont on envisage cet événement. Réunissez dix hommes qui comme Paul-Emile perdent leurs deux fils dans l'heure la plus douce de leur vie: vous aurez dix douleurs qui ne se ressembleront nullement. Le malheur vient en nous, mais il n'y fait que ce qu'on lui ordonne de faire. Il sème, il ravage, il moissonne, selon l'ordre qu'il a trouvé inscrit sur notre seuil. Si les deux fils de mon voisin, qui est un homme médiocre, périssent dans l'instant même où la fortune de leur père a réalisé ses désirs, tout s'en ira dans les ténèbres, aucune étincelle ne jaillira, et le malheur, presque ennuyé lui-même, ne laissera derrière lui que quelques cendres incolores. Je n'ai pas besoin de revoir mon voisin. Je sais d'avance les petites choses que la douleur lui a données, car la douleur ne fait jamais que nous restituer ce que notre âme lui a prêté durant les jours heureux.

XLI

Mais le même malheur a frappé Paul-Emile. Rome effrayée attend, retentissante encore de la marche du triomphe. Que va-t-il arriver? Les dieux bravent-ils le sage, et de quelle façon le sage va-t-il répondre aux dieux? Qu'est-ce que ce héros a fait de la douleur, ou qu'est-ce que la douleur a fait de ce héros? C'est en de tels moments que l'humanité semble avoir conscience que le destin éprouve une fois de plus la force de son bras; que quelque chose sera changé pour elle, si ce bras ne peut pas ébranler ce qu'il a attaqué. Aussi, voyez avec quelle inquiétude elle cherche en ces occasions-là, dans les yeux de ses chefs, le mot d'ordre contre l'invisible.

Mais Paul-Emile s'avance au milieu du peuple romain qu'il a convoqué. Il est grave, et il parle ainsi: «Je n'ai jamais craint rien de ce qui vient des hommes, mais entre les choses divines, ce que j'ai toujours redouté, c'est l'extrême inconstance de la fortune, et l'inépuisable variété de ses coups; surtout durant cette guerre où elle favorisait, comme un vent propice, toutes mes entreprises. Sans cesse, en effet, je m'attendais à la voir renverser mon bonheur, et soulever quelque tempête. Oui, en un seul jour j'ai traversé la mer Ionienne, de Brindes à Corcyre, et, de Corcyre, je suis arrivé en cinq jours à Delphes, où j'ai sacrifié à Apollon. Cinq jours encore, et nous touchions, l'armée et moi, la Macédoine, et je purifiais l'armée avec les cérémonies d'usage. À l'instant même, je commençai mes opérations militaires, et quinze jours après j'avais terminé cette guerre, par la plus glorieuse victoire. — Ce cours rapide de prospérité m'inspirait une juste défiance de la fortune. Bien en repos sur les ennemis et n'ayant aucun danger à craindre, c'est pour la traversée du retour que je redoutais l'inconstance de la déesse, alors que je ramenais une telle armée, si heureusement victorieuse, et des dépouilles immenses et des rois captifs. Arrivé sans aucun accident auprès de vous, et voyant la ville dans la joie, dans les fêtes et les sacrifices, je ne m'en suis pas moins défié du sort; car je savais qu'il n'est pas une de ses faveurs qui soit pour nous sans mélange, et que l'envie accompagne toujours les grands succès. Mon âme, pleine de cette douloureuse inquiétude, et tremblante sur ce que l'avenir réservait à Rome, n'a été délivrée de ses craintes qu'à l'instant où j'ai vu ma maison périr en ce terrible naufrage, où il m'a fallu, dans des jours sacrés, ensevelir de mes mains, coup sur coup, deux fils de si belle espérance, les seuls que je me fusse réservés pour mes héritiers. Me voici maintenant à l'abri des grands dangers, et j'ai une ferme confiance que votre prospérité résistera, solide et durable. La fortune est assez vengée de mes succès par les maux qu'elle a versés sur moi. Elle a fait voir, dans le triomphateur autant que dans le captif traîné en triomphe, un frappant exemple de la fragilité humaine; avec cette différence pourtant que Persée, vaincu, a toujours ses enfants, et que Paul-Emile, vainqueur, a perdu les siens.»

XLII

Voilà la manière romaine d'accueillir la plus grande douleur qui puisse atteindre un homme dans le moment où il est le plus sensible à la douleur, c'est-à-dire dans le moment de son plus grand bonheur. En est-il d'autres? Oui, car il y a autant de manières de l'accueillir qu'il y a d'idées ou de sentiments généreux sur cette terre, et chacun de ces sentiments, chacune de ces idées tient la baguette magique qui change sur le seuil les vêtements et le visage de la souffrance. Job nous eût dit: «Dieu a donné, Dieu a repris, que son saint nom soit béni», et Marc-Aurèle peut-être: « S'il ne m'est plus permis d'aimer ceux que j'aimais par-dessus tout, c'est sans doute pour m'apprendre à aimer ceux que je n'aimais pas encore.»

XLIII

Et ne croyons pas qu'ils se consolent ainsi à l'aide de mots vides et que toutes ces paroles cachent mal une blessure d'autant plus douloureuse qu'ils la voudraient cacher. D'abord, mieux vaut encore se consoler à l'aide de mots vides que de ne pas se consoler du tout. Et puis, s'il faut admettre que tout cela ne soit qu'illusion, il est juste d'admettre, en même temps, que l'illusion est la seule chose que puisse posséder une âme, et au nom de quelle autre illusion nous arrogerions-nous le droit de dédaigner une illusion?

Certes, lorsque les grands sages dont je viens de parler rentreront vers le soir dans leur maison déserte, et chercheront à leur foyer les sièges où leurs enfants ne viendront plus s'asseoir, ils connaîtront une partie de la souffrance que connaissent entièrement ceux en qui cette souffrance n'apporte pas une seule pensée noble. Car c'est faire tort à une belle pensée, à un beau sentiment que de leur attribuer une vertu qu'ils n'ont pas. Il y a des larmes extérieures qu'ils ne peuvent essuyer et des heures sacrées où la sagesse ne console pas encore. Mais, disons-le une dernière fois, ce n'est pas la souffrance qu'il s'agit d'éviter, puisqu'elle sera toujours inévitable. Il s'agit de choisir ce que la souffrance nous apporte. Prétendra-t-on que ce choix que l'oeil ne saurait voir est en réalité une bien petite chose, qui ne peut effacer une douleur dont la cause est sans cesse sous les yeux? Toutes nos joies morales, qui sont bien plus profondes que toutes nos joies physiques ou intellectuelles, ne sont-elles pas faites de petites choses de ce genre? Si nous le traduisons par des mots, le sentiment qui pousse le héros à bien faire semble peu de chose, en effet. C'était une petite chose aussi que l'idée que Caton le Jeune s'était faite du devoir, si nous la comparons au trouble immense d'un empire et à la mort sanglante qu'elle entraîna; et cependant, n'est-elle pas plus grande que ces troubles, et ne domine-t-elle pas cette mort même qu'elle a causée? Aujourd'hui encore, n'est-ce pas Caton qui a raison; et quelle vie, grâce à cette idée, que la raison humaine ne peut peser en ses balances, tant elle semble étrangère à la raison, quelle vie fut plus intimement, plus noblement heureuse que celle de Caton?

Tout ce qui ennoblit notre existence; tout ce que nous respectons en nous-mêmes, les motifs de notre vertu, et ces bornes sentimentales que tout homme impose à ses vices et à ses crimes mêmes, semblent peu de chose en effet, lorsque notre raison nous en demande compte. Pourtant, c'est là que se trouvent les lois de la vie de chaque être. — Et quel homme pourrait vivre sans se soumettre à plusieurs de ces vérités qui ne sont pas soumises à la raison? Jusqu'aux plus misérables obéissent à l'une d'elles, et plus le nombre est grand de celles auxquelles il obéit, moins l'homme est misérable. Celui qui a assassiné vous dira: J'assassine il est vrai, mais je ne vole pas. Celui qui a volé, vole, mais ne trahit point; et celui qui trahit, ne trahit pas son frère. Ainsi, chacun se réfugie dans la dernière beauté morale qui lui reste. Le plus déchu des hommes a toujours une sorte de lieu sacré, une sorte de retraite dans son âme, où il retrouve un peu d'eau pure, et où il va puiser la force nécessaire pour continuer de vivre. Ici, non plus qu'ailleurs, ce n'est guère la raison qui console, et elle doit s'arrêter au seuil de la dernière retraite du voleur ou du traître, comme elle s'arrête au seuil du sacrifice d'Antigone, de la résignation de Job et de l'amour de Marc-Aurèle. Elle s'arrête, elle ne se rend plus compte, elle n'approuve guère, et néanmoins, elle sent que si elle se révoltait, elle se révolterait contre la lumière dont elle n'est que l'ombre visible, car elle est au milieu de ces choses comme un homme qui se tiendrait en plein soleil. Il voit son ombre qui s'étend à ses pieds, il peut la faire avancer ou reculer, et en modifier les contours selon qu'il se baisse ou se relève, mais cette ombre est la seule chose qu'il domine, qu'il possède et à laquelle il puisse commander dans la lumière éblouissante qui l'entoure. Notre raison s'agite ainsi dans une lumière supérieure; et l'ombre qu'elle y forme n'a pas d'action sur cette splendeur immobile. Si loin que se trouvent l'un de l'autre Marc-Aurèle et le traître, ils puisent à la même source l'eau mystique qui fait vivre leur âme; et cette source n'est pas dans leur intelligence.

Il est assez étrange que toute notre vie morale soit située ailleurs que dans notre raison; car celui qui ne vivrait que selon cette raison serait le plus misérable des êtres. Il n'est pas une vertu, pas un acte de bonté, pas une pensée noble, dont presque toutes les racines ne plongent à côté de ce qu'on peut comprendre et expliquer. Pourtant, ne serait-ce pas l'orgueil de l'homme de trouver toute vertu, toute vie intérieure, toute joie, dans la seule chose qu'il possède véritablement, dans la seule chose en quoi il puisse avoir confiance: c'est-à-dire sa raison? Mais il aura beau faire, le moindre événement lui montrera bientôt que ce n'est jamais là qu'il faut se réfugier, tant il est vrai que nous sommes autre chose que des êtres simplement raisonnables.

XLIV

Mais si notre raison ne choisit pas ce que la souffrance nous apporte, qu'est-ce donc qui choisit? Notre vie antérieure, qui a formé notre âme? On ne récolte pas du jour au lendemain les fruits de la sagesse. Si je n'ai pas vécu comme Paul-Emile, pas une seule des pensées qui le consolèrent ne me consolera, alors même que tous les sages de ce monde s'uniraient pour me les répéter sans cesse. Les anges qui viennent essuyer nos larmes prennent exactement la forme et le visage de ce que nous avons dit, de ce que nous avons pensé, et surtout de ce que nous avons fait, avant l'heure de la douleur. Lorsque Thomas Carlyle, qui fut un sage, mais un sage maladif, perdit, après plus de quarante années de vie commune, sa femme Jeannie Welsh, l'être qu'il aima le plus profondément, sa peine, elle aussi, prit avec une exactitude incroyable la forme de la vie antérieure de leur amour. Et c'est pourquoi elle fut auguste, vaste, torturante et consolatrice à la fois, dans la grandeur de ses reproches, de ses tendresses et de ses regrets, comme une prière ou une contemplation au bord d'une mer assombrie. C'est, en quelque façon, l'image synthétique de tous nos jours qui ne sont plus, qui se reproduit avec une fidélité affectueuse ou malveillante dans la souffrance de notre coeur. Si je n'ai dans ma vie que des souvenirs sans générosité et sans lumière, quand viendra le moment, qui arrive toujours, où les souvenirs se transforment en larmes, ces larmes seront sans générosité et sans lumière aussi. Nos larmes n'ont pas de couleur par elles-mêmes, afin qu'elles puissent refléter le passé de notre âme; et ce qu'elles reflètent est notre châtiment ou notre récompense. Il n'y a qu'une chose qui ne se transforme jamais en souffrance, c'est le bien que nous avons fait. Quand nous perdons un être aimé, ce qui nous fait pleurer les larmes qui ne soulagent point, c'est le souvenir des moments où nous ne l'avons pas assez aimé. Si nous avions toujours souri à l'être qui n'est plus, nous ignorerions tout ce qu'il y a d'amoindrissant dans la douleur, et nous pleurerions des larmes telles, qu'il leur resterait un peu de la douceur des caresses et des vertus dont elles se souviennent. Car les souvenirs de l'amour véritable, qui est l'acte de vertu qui contient tous les autres, arrachent à nos yeux les mêmes larmes bienfaisantes que les plus belles heures dont ces souvenirs sont issus. Rien n'est plus juste que la douleur, et toute notre vie attend que son heure sonne, comme le moule attend le bronze en fusion, pour nous payer notre salaire.

Ici encore, où se trouve cependant le pilier le plus lourd de son trône, nous voyons à quel point la puissance du destin se limite en tous ceux qui deviennent meilleurs que le destin lui-même. Le destin est demeuré barbare; et il n'est pas à la hauteur de tous les hommes. Il puise toutes ses armes dans la vie ordinaire; et ses armes retardent. Il nous attaque encore extérieurement comme il nous attaquait au temps d'OEdipe. Il tire droit devant lui, comme un archer aveugle, mais quand ses flèches doivent s'élever un peu pour atteindre leur but, elles retombent sans force.

Souffrances, regrets, larmes, douleurs et tout le reste; voilà des noms semblables qui désignent des choses qui ne se ressemblent jamais. Si nous allions jusqu'à l'âme de ces mots, nous reconnaîtrions que nous n'appelons ainsi que la trace de nos fautes, et là où nos fautes furent nobles, — car il y a de nobles fautes, comme il y a de petites vertus, — notre malheur sera plus près du bonheur véritable que le bonheur de ceux qui sont heureux sans avoir agrandi leur conscience. Croyez-vous que Carlyle eût voulu échanger son malheur qui s'épanouissait comme une fleur immense et tendre dans son âme, contre le bonheur conjugal, sans horizon et sans lumière du plus heureux de ses voisins dé Chelsea? Et la douleur d'Ernest Renan, lorsqu'il perdit sa soeur Henriette, n'est-elle pas meilleure à l'âme que l'absence de douleur chez mille autres qui n'ont pas su aimer leur soeur? Faut-il plaindre celui qui pleure certains soirs, au bord d'une mer infinie, ou celui qui sourit, sans raison, toute sa vie, au fond d'une petite chambre? «Bonheur, malheur»; si nous pouvions sortir un instant de nous-mêmes, et goûter le malheur du héros, combien de nous reviendraient sans regrets à leur bonheur étroit?

Il est donc vrai que le bonheur ou le malheur, lors même qu'il arrive du dehors, n'existe qu'en nous-mêmes? Tout ce qui nous entoure devient ange ou démon selon l'état de notre coeur. Jeanne d'Arc entend les saintes et Macbeth les sorcières, et c'est toujours la même voix. Le destin, dont nous aimons tant à nous plaindre, n'est peut-être pas ce que nous pensions tout à l'heure. Il n'a d'autres armes que celles que nous lui tendons. Il n'est ni juste, ni injuste; il ne rend jamais de sentence. Ce que nous prenons pour un Dieu n'est qu'un messager déguisé. Il nous avertit simplement, à certains jours de notre vie, que l'heure vient de sonner où nous avons à nous juger nous-mêmes.

XLVI

Il est vrai que les êtres de second ordre ne se jugent pas eux-mêmes. Aussi, est-ce précisément parce qu'ils refusent de se juger, qu'ils sont jugés par le hasard. Ils sont soumis à un destin presque invariable; car le destin ne peut se transformer qu'après le jugement que l'homme a rendu sur lui-même. Au lieu de transformer l'événement qu'ils rencontrent, ils se transforment eux-mêmes, moralement, au premier contact de tout ce qu'ils rencontrent. Ils prennent immédiatement la forme même du malheur qu'ils déplorent, et n'en prennent que la forme la plus pauvre et la plus usitée. Tout ce qui leur arrive a l'odeur du destin. Pour celui-ci, c'est la profession qu'il embrasse, pour celui-là, c'est une amitié qui l'accueille, pour un troisième, c'est la maîtresse qu'il rencontre. À leur égard, hasard et destin sont deux termes identiques; et le hasard est rarement un destin favorable. Tout ce qui en nous-mêmes n'est pas occupé par la puissance de notre âme, est immédiatement occupé par une puissance ennemie. Tout vide dans le coeur ou dans l'intelligence devient le réservoir d'influences fatales. L'Ophélie de Shakespeare et la Marguerite de Goethe sont soumises au destin parce qu'elles sont si frêles, qu'on ne peut faire un geste, en leur présence, qui ne devienne le geste même du destin. Mais si Marguerite et Ophélie eussent possédé une parcelle de la force qui anime l'Antigone de Sophocle, n'eussent-elles pas changé, non seulement leurs propres destinées, mais encore celles d'Hamlet et de Faust? Et si le More de Venise, au lieu d'épouser Desdémone, eût pris pour femme la Pauline de Corneille, croyez-vous que dans des circonstances identiques la destinée de Desdémone eût osé rôder un instant autour de l'amour éclairé de Pauline? Etait-ce dans leur corps ou dans leur âme que se dissimulait la Fatalité noire? Et, s'il est vrai, parfois, que le corps ne puisse acquérir plus de force, l'âme ne peut-elle en acquérir toujours? Prenons-y garde: pour la plupart des hommes on ne saurait imaginer qu'un destin véritable; ce serait celui qui dirait: «À partir de ce jour, ton âme ne peut plus s'affermir et ne grandira plus.» Mais est-il un destin qui ait le droit de nous parler ainsi?

XLVII

Cependant la vertu est bien souvent punie, et la force même d'une âme précipite parfois son malheur. Plus on aime, plus on offre de surface à de nobles douleurs; mais le sage se plaît à agrandir cette surface qui est belle.

Oui, reconnaissons-le, le destin ne reste pas toujours au fond de ses ténèbres; il lui faut, à certaines heures, des victimes plus pures, qu'il saisit en agitant ses grandes mains glacées dans la lumière. J'ai prononcé tantôt le nom tragique d'Antigone, et l'on dira sans doute: «Voilà, malgré sa force d'âme, la victime du destin que vous cherchiez en vain....» On ne peut le nier; Antigone est la proie du dieu froid, parce que son âme a trois fois plus de force que l'âme d'une autre femme. Elle périt, parce que le destin l'a mise dans une situation telle, qu'elle est obligée de choisir entre la mort et ce qu'elle considère comme le plus impérieux de ses devoirs de soeur. Elle se voit prise tout à coup entre la mort et l'amour; et l'amour le plus pur et le plus désintéressé, puisqu'il s'agit de l'amour pour une ombre qu'elle ne verra jamais sur cette terre. Et pourquoi le destin a-t-il pu l'acculer ainsi à l'angle meurtrier que forment derrière elle la mort et le devoir? Uniquement parce que son âme, plus haute que les autres, a vu cette paroi infranchissable du devoir, qu'Ismène, sa pauvre soeur, n'aperçoit pas, même lorsqu'on la lui montre. Dans le même moment, tandis qu'elles se trouvent toutes deux sur le seuil du palais, les mêmes voix s'élèvent autour d'elles. Antigone n'entend que celle qui vient d'en haut; et c'est pourquoi elle meurt; Ismène ne se doute guère qu'il en existe une autre que celle qui vient d'en bas; et c'est pourquoi elle ne meurt pas. Mettez dans l'âme d'Antigone un peu de l'impuissance qui se trouve dans celle d'Ophélie ou de Marguerite, et le destin eût jugé inutile de faire signe à la mort dans l'instant où la fille d'OEdipe apparaissait sous le porche du palais de Créon. C'est donc uniquement parce que son âme est forte que le destin a pu s'en rendre maître.

Il est vrai; et c'est la consolation du juste, du héros et du sage. Le destin n'a d'empire sur eux que par le bien qu'il les oblige de faire. Les autres hommes sont comme des villes aux cent portes ouvertes par lesquelles il pénètre; mais le juste est une ville fermée qui n'a qu'une porte de lumière; et le destin ne peut l'ouvrir que lorsqu'il parvient à contraindre l'amour à frapper à cette porte. Il fait faire ce qu'il veut aux autres hommes; et le destin, lorsqu'il est libre, ne veut guère que le mal; mais s'il songe à régner sur le juste, il faut aussi qu'il songe à faire le bien. Ce n'est plus à l'aide de ténèbres qu'il attaque. Le juste est à l'abri dans sa lumière; et seule une lumière plus forte peut le vaincre. Il faut alors que le destin devienne plus beau que sa victime. Il place les hommes ordinaires entre une douleur et le malheur des autres; mais il ne peut saisir le héros et le sage qu'entre une souffrance personnelle et le bonheur d'autrui. Il assaille les premiers à l'aide de tout ce qui est laid; il ne peut assaillir les derniers qu'à l'aide de ce qu'il y a de plus beau sur la terre. Il a des milliers d'armes contre les uns, et les pierres mêmes du chemin se transforment en armes; il n'a qu'un glaive irrésistible pour attaquer les autres; et c'est le glaive ardent du sacrifice et du devoir. L'histoire d'Antigone épuise toute l'histoire de l'empire du destin sur le sage. Jésus qui meurt pour nous, Curtius qui se jette dans le gouffre, Socrate qui refuse de se taire, la soeur de charité qui s'éteint au chevet du malade, et l'humble passant qui périt pour sauver le passant qui périt, ont été obligés de choisir, et portent à la même place la blessure glorieuse d'Antigone. Certes, il y a de beaux périls aussi dans la lumière, et il est dangereux d'être sage pour ceux qui craignent de se sacrifier; mais ceux qui craignent de se sacrifier, lorsque l'heure généreuse est sonnée, ne sont peut-être pas bien sages....

XLVIII

Quand nous prononçons le mot «Destin», il n'est personne qui ne se représente quelque chose de sombre, d'affreux et de mortel. Au fond de la pensée des hommes, il n'est que le chemin qui conduit à la mort. Même, la plupart du temps, il n'est autre chose que le nom que l'on donne à la mort qui n'est pas encore arrivée. Il est la mort envisagée dans l'avenir et l'ombre de la mort sur la vie. «Nul homme n'échappe à son destin», disons-nous, par exemple, en songeant à la mort qui attend le voyageur au détour de la route. Mais si le voyageur rencontre le bonheur, nous ne parlons plus du destin, ou nous n'en parlons plus comme du même dieu. Et cependant, ne peut-il advenir que celui qui chemine par la vie rencontre un bonheur plus grand que le malheur et plus important que la mort? Ne peut-il advenir qu'il rencontre un bonheur que nous ne voyons pas, et de sa nature le bonheur n'est-il pas moins manifeste que le malheur, et ne devient-il pas moins visible à mesure qu'il s'élève? Mais nous n'en tenons aucun compte. Si c'est une aventure misérable, tout le village, toute la ville accourt; mais si c'est un baiser, un rayon de beauté qui vient frapper notre oeil, ou un rayon d'amour qui vient éclairer notre coeur, personne n'y prend garde. Et pourtant un baiser peut être aussi important à la joie qu'une blessure est importante à la douleur. Nous ne sommes pas justes; nous ne mêlons presque jamais le destin au bonheur; et si nous ne le joignons pas à la mort, c'est pour le joindre à un malheur plus grand que la mort même.

XLIX

Si je vous parle du destin d'OEdipe, de Jeanne d'Arc et d'Agamemnon, vous n'apercevrez pas la vie de ces trois êtres, vous ne verrez que les derniers sentiers qui les menèrent à leur fin. Vous vous direz que leur destin n'a pas été heureux, puisque leur mort n'a pas été heureuse. Mais vous oubliez que la mort n'est jamais heureuse aux yeux de ceux qui ne meurent pas encore, et pourtant c'est ainsi que nous jugeons la vie. Il semble que la mort absorbe tout; et si trente années de félicité aboutissent à une mort accidentelle, les trente années nous paraîtront perdues dans les ténèbres d'une heure douloureuse.

L

Nous avons tort de relier ainsi le destin à la mort ou au malheur. Quand donc quitterons-nous cette idée que la mort est plus importante que la vie, et le malheur plus grand que le bonheur? Pourquoi ne regarder que du côté des larmes, quand nous jugeons de la destinée d'un être, et jamais du côté des sourires? Qui nous a dit qu'il fallût évaluer la vie à l'aide de la mort et non pas la mort à l'aide de la vie? Nous plaignons la destinée de Socrate, de Duncan, d'Antigone, de Jeanne d'Arc et de tant d'autres justes, parce que leur fin fut inattendue ou cruelle, et nous nous disons que la sagesse ou la vertu ne désarme pas le malheur. Mais d'abord, vous n'êtes ni sage ni juste si vous cherchez dans la sagesse et la justice autre chose que la sagesse et la justice mêmes. Et puis, de quel droit tassons-nous ainsi une existence tout entière dans l'instant de la mort? Pourquoi me dites-vous que la sagesse ou la vertu d'Antigone et de Socrate les rendit malheureux parce que leur fin fut malheureuse? La mort occupe-t-elle dans la vie un point plus vaste que la naissance? Et cependant vous ne tenez pas compte de la naissance quand vous pesez la destinée du sage. Ce qui nous rend heureux ou malheureux, c'est ce que nous faisons entre la naissance et la mort; ce n'est pas dans sa mort, mais dans les jours et les années qui la précèdent que se trouve le bonheur ou le malheur d'un être et son véritable destin.

Nous raisonnons un peu comme si le sage dont l'histoire nous a appris la mort affreuse eût passé son existence à prévoir la fin douloureuse que sa sagesse lui préparait. Mais en réalité le sage est bien moins inquiété que le méchant par l'idée de la mort. Socrate n'a pas à craindre comme Macbeth que tout finisse mal. Et si tout finit mal, c'est contre toute attente, et il n'a pas usé sa vie à la mourir d'avance comme le Thane de Cawdor. Mais trop souvent au fond de nos pensées il semble qu'une blessure qui saigne quelques heures anéantisse la paix d'une existence entière.

LI

Je ne dis pas que le destin soit juste, qu'il récompense les bons et punisse les méchants. Quelle âme pourrait encore se dire bonne si la récompense était sûre? Mais nous sommes bien plus injustes que le destin lui-même lorsque nous le jugeons. Nous ne voyons que le malheur du sage, car nous savons tous ce que c'est que le malheur; mais nous ne voyons pas son bonheur, car il faut être exactement aussi sage que le sage et aussi juste que le juste dont on pèse le destin pour connaître leur bonheur.

Lorsqu'un homme à l'âme basse tente de mesurer le bonheur d'un grand sage, ce bonheur fuit comme l'eau entre ses doigts; mais dans la main d'un autre sage, il devient aussi ferme, aussi brillant que l'or. On n'a que le bonheur qu'on peut comprendre. Il arrive souvent que le malheur du sage ressemble au malheur d'un autre homme, mais son bonheur n'a aucun rapport avec ce qu'appelle bonheur celui qui n'est pas sage. Il y a bien plus de terres inconnues dans le bonheur qu'il n'y a en a dans le malheur. Le malheur a toujours la même voix, mais le bonheur fait moins de bruit à mesure qu'il devient plus profond.

Quand nous mettons le malheur dans un plateau de la balance, chacun de nous dépose dans l'autre l'idée qu'il se fait du bonheur. Le sauvage y mettra de l'alcool, de la poudre et des plumes; l'homme civilisé un peu d'or et quelques jours d'ivresse; mais le sage y déposera mille choses que nous ne voyons pas, toute son âme peut-être, et le malheur même qu'il aura purifié.

LII

Il n'est rien de plus juste que le bonheur, rien qui prenne plus fidèlement la forme de notre âme, rien qui remplisse plus exactement les lieux que la sagesse lui a ouverts. Mais il n'est rien qui manque encore de voix autant que lui. L'ange de la douleur parle toutes les langues et connaît tous les mots, mais l'ange du bonheur n'ouvre la bouche que lorsqu'il peut parler d'un bonheur que le sauvage est à même de comprendre. Le malheur est sorti de l'enfance depuis des centaines de siècles, mais on dirait que le bonheur dort encore dans les langes.

Quelques hommes ont appris à être heureux, mais où sont-ils ceux qui dans leur félicité songèrent à prêter leur voix à l'Archange muet qui éclairait leur âme? D'où vient cet injuste silence? Parler du bonheur, n'est-ce pas un peu l'enseigner? Prononcer son nom chaque jour, n'est-ce pas l'appeler? Et l'un des beaux devoirs de ceux qui sont heureux, n'est-ce pas d'apprendre aux autres à être heureux? Il est certain que l'on apprend à être heureux; et rien ne s'enseigne plus aisément que le bonheur. Si vous vivez parmi des gens qui bénissent leur vie, vous ne tarderez pas à bénir votre vie. Le sourire est aussi contagieux que les larmes; et les époques que l'on appelle heureuses ne sont souvent que des époques où quelques hommes surent se dire heureux. D'ordinaire, ce n'est pas le bonheur qui nous manque, c'est la science du bonheur. Il ne sert de rien d'être aussi heureux que possible si on ignore qu'on est heureux, et la conscience du plus petit bonheur importe bien plus à notre félicité que le plus grand bonheur que notre âme ne regarde pas attentivement. Trop d'êtres s'imaginent que le bonheur est autre chose que ce qu'ils ont, et c'est pourquoi ceux qui ont le bonheur doivent nous montrer qu'ils ne possèdent rien que ne possèdent tous les hommes dans leur coeur.

Être heureux, c'est avoir dépassé l'inquiétude du bonheur. Il serait nécessaire, de temps à autre, qu'un homme favorisé par le destin d'une félicité éclatante, enviée, surhumaine, vînt nous dire simplement: j'ai reçu tout ce que vos désirs appellent chaque jour, j'ai la richesse, la santé, la jeunesse, la gloire, la puissance et l'amour. Aujourd'hui, je puis me dire heureux; non pas à cause des dons que la fortune a daigné m'accorder, mais parce que ces dons m'ont appris à regarder plus haut que le bonheur. Si j'ai trouvé dans mes voyages merveilleux, dans mes victoires, dans ma force et dans mon amour, la paix et la félicité que je cherchais, c'est qu'ils m'ont appris que ce n'est pas en eux que se trouvent la félicité et la paix véritables. Avant tous ces triomphes, elles n'existaient qu'en moi; après tous ces triomphes, elles s'y trouvent toujours, et je n'ignore pas qu'avec un peu plus de sagesse j'aurais pu posséder tout ce que je possède, sans qu'il eût été nécessaire de posséder tant de bonheur. Je sais que je suis plus heureux aujourd'hui que je ne l'étais hier, parce que je sais enfin que je n'ai plus besoin du bonheur pour délivrer mon âme, apaiser ma pensée et éclairer mon coeur.

LIII

Le sage sait cela sans qu'il soit nécessaire qu'un bonheur surhumain le lui vienne enseigner. Le juste le sait aussi, lors même qu'il est moins sage que le sage et que sa conscience semble moins développée, car il est remarquable qu'un acte de justice ou de bonté apporte avec soi une certaine conscience inarticulée, souvent plus efficace, plus dévouée, plus maternelle, que celle qui naît d'une pensée profonde. Il apporte notamment une sorte de conscience spéciale du bonheur. On a beau faire, les pensées les plus hautes sont presque toujours incertaines et variables; au lieu que la lumière d'un acte bienfaisant est permanente et stable. Une pensée profonde, c'est quelquefois de la conscience ornementale, mais une oeuvre de charité, l'accomplissement d'un devoir héroïque, c'est de la conscience, c'est-à-dire, du bonheur en action. Marc-Aurèle qui pardonne une mortelle offense; Washington qui abdique au moment où sa gloire allait devenir une source d'erreur pour son peuple; et l'être haineux et vil, qui, dans une hypothèse d'ailleurs invraisemblable, aurait découvert par hasard la grande loi de la gravitation, ne seront pas heureux de la même façon.

Il y a un long chemin, bordé des seules joies qui ne redoutent pas l'hiver, d'une intelligence satisfaite à un coeur satisfait. Le bonheur est une plante de la vie morale bien plus qu'une plante de la vie intellectuelle. Ce n'est pas dans l'intelligence que la conscience en général, et surtout la conscience du bonheur, cache ce qu'elle a de plus précieux. Même, on dirait parfois que les parties les plus hautes et les plus consolantes de l'intelligence ne se transforment pas en conscience si elles n'ont point passé par un acte de vertu. Il ne suffit pas de découvrir une vérité nouvelle dans le monde des idées ou des faits. Une vérité n'est vivante pour nous qu'à partir du moment où elle a modifié, purifié, adouci quelque chose dans notre âme. Ce qui constitue véritablement la conscience, ce qui est son acte essentiel, c'est la conscience d'une amélioration morale. Il y a des êtres très intelligents qui n'appliquent jamais leur intelligence à la recherche d'une faute ou à l'encouragement d'un sentiment de charité. Le cas est fréquent chez les femmes, par exemple. D'un homme et d'une femme d'égale puissance intellectuelle, la femme emploiera toujours une bien moindre part de cette puissance à se connaître moralement. Or, il semble que l'intelligence qui ne va pas vers la conscience s'agite dans le vide. Toute force de notre cerveau qui n'est pas immédiatement recueillie dans les vases les plus purs de notre coeur, risque fort de se corrompre et de se perdre. En tout cas, elle demeure étrangère au bonheur; par contre, elle entre facilement en rapport avec le malheur. On peut avoir une intelligence très puissante et très haute, et ne s'être jamais approché du bonheur. Mais on ne peut avoir une âme douce, pure et bonne et ne pas connaître autre chose que le malheur. Il est vrai que les frontières de l'intelligence et de la conscience ne sont pas toujours aussi nettement séparées qu'on a l'air de le dire ici; et qu'une belle pensée est souvent une bonne oeuvre. Mais il arrive néanmoins qu'une belle pensée qui n'est pas née d'une bonne action ou qui n'en fait pas naître une, ajoute peu de chose à notre félicité, au lieu qu'une bonne action, lors même qu'aucune pensée ne prend naissance en elle, avivera toujours, comme une pluie bienfaisante, notre conscience du bonheur.

LIV

«Qu'il faut avoir dit adieu au bonheur, s'écrie Renan, parlant du renoncement de Marc-Aurèle, qu'il faut avoir dit adieu au bonheur pour arriver à de tels excès! On ne comprendra jamais tout ce que souffrit ce pauvre coeur flétri, ce qu'il y eut d'amertume dissimulée par ce front pâle, toujours calme et presque souriant. Il est vrai que l'adieu au bonheur est le commencement de la sagesse et le moyen le plus sûr de trouver le bonheur. Il n'y a rien de doux comme le retour de joie qui suit le renoncement à la joie, rien de vif, de profond, de charmant, comme l'enchantement du désenchanté.»

C'est ainsi qu'un sage décrit le bonheur d'un sage, et pourtant, le bonheur de Renan, aussi bien que celui de Marc-Aurèle se trouvent-ils uniquement dans le retour de joie qui suit le renoncement à la joie et dans l'enchantement du désenchanté? S'il en était ainsi, mieux vaudrait encore être moins sage pour être moins désenchanté. Mais que voulait-elle, la sagesse qui se déclare désenchantée? Que cherchait-elle si elle ne cherchait pas la vérité, et quelle est donc la vérité qui puisse détruire ainsi au fond d'un coeur sincère l'amour même de la vérité? Si la vérité vous apprend que l'homme est mauvais, la nature sans justice, la justice inutile et l'amour sans puissance, dites-vous qu'elle ne vous apprend rien, si elle ne vous apprend en même temps une vérité plus grande, qui enveloppe toutes ces désillusions d'une lumière plus éclatante et moins vite épuisée que les mille lumières éphémères qu'elle vient d'éteindre autour de vous. Il n'y a pas de limites à la vérité, et c'est pourquoi la sagesse n'a jamais le droit de déplier ainsi, au premier carrefour de l'orgueil, la pauvre petite tente du désenchantement ou du renoncement. Car il y a un incroyable et bien fragile orgueil à se déclarer satisfait de ce que rien ne nous peut satisfaire. Une satisfaction de ce genre n'est qu'un mécontentement qui n'a même plus la force de se lever; et être mécontent, au fond, c'est ne plus essayer de comprendre.

Tant que l'homme s'imagine qu'il est de son devoir de renoncer au bonheur, ne renonce-t-il pas à une chose qui n'est pas encore le bonheur? Et puis, à quels bonheurs faut-il dire cet adieu, qui manque de simplicité? Certes, il est juste d'écarter de nous tout bonheur qui fait du mal aux autres, mais le bonheur qui fait du mal aux autres demeure-t-il longtemps un bonheur pour le sage? Et lorsque sa sagesse connaît enfin d'autres satisfactions, sait-elle encore qu'elle renonce aux premières?

Défions-nous toujours de la sagesse et du bonheur qui sont fondés sur le mépris de quelque chose. Le mépris et le renoncement, qui est le fils infirme du mépris, ne nous ouvrent guère que l'asile des vieillards et des faibles. Nous n'aurions le droit de mépriser une joie que lorsqu'il ne nous serait même plus possible de savoir que nous la méprisons. Mais tant que le mépris ou le renoncement doit prendre la parole ou agiter une pensée amère au fond de notre coeur, c'est que la joie dont nous ne voulons plus nous est encore nécessaire.

Evitons d'introduire dans notre âme certains parasites des vertus. Et le renoncement n'est bien souvent qu'un parasite. Alors même qu'il ne l'affaiblit point, il inquiète notre vie intérieure. Quand un animal étranger pénètre dans une ruche, toutes les abeilles suspendent leur travail; et de même, quand le mépris ou le renoncement est entré dans notre âme, toutes ses puissances et toutes ses vertus abandonnent leur tâche pour se réunir autour de l'hôte singulier que l'orgueil leur amène. Car tant que l'homme sait qu'il renonce, le bonheur de son renoncement naît surtout de l'orgueil. Or, si l'on tient à renoncer à quelque chose, il convient qu'on renonce avant tout aux bonheurs de l'orgueil, qui sont les plus trompeurs et les plus vides.

LV

Qu'il est commode, en somme, et dépourvu de toute audace et de toute énergie «cet enchantement du désenchanté»! Mais quel nom donner à celui qui renonce à un bonheur qui le rendait heureux, et aime mieux le perdre sûrement aujourd'hui, de peur de le perdre demain si le hasard le veut? La seule mission de la sagesse est-elle d'écouter ainsi, dans un avenir incertain, les pas d'une souffrance qui ne viendra peut-être point, et de fermer l'oreille au bruit d'ailes d'un bonheur qui remplit l'espace de sa présence?

Cherchons notre bonheur dans le renoncement quand il n'est plus possible de le trouver ailleurs. Il est facile d'être sage lorsqu'on se contente du bonheur que l'on trouve dans l'absence du bonheur. Mais le sage n'est pas fait pour être malheureux; et il est plus glorieux et plus humain aussi de ne pas cesser d'être sage en demeurant heureux. Le but suprême de la sagesse est tout juste de trouver le point fixe du bonheur dans la vie; mais chercher ce point fixe dans le renoncement et l'adieu à la joie, c'est l'aller chercher assez sottement dans la mort. Il est aisé de se croire sage lorsqu'on ne bouge plus. Mais l'homme a-t-il été créé pour ne jamais bouger? Il faut choisir; la sagesse est l'épouse respectée de nos passions et de nos sentiments, de toutes nos pensées et de tous nos désirs, ou la mélancolique fiancée de la mort. Qu'il y ait une sagesse immobile pour la tombe, mais qu'il y en ait une aussi pour la maison où l'âtre fume encore.

LVI

Ce n'est pas en renonçant à des bonheurs qui nous entourent que nous deviendrons sages; c'est en devenant sages que nous renoncerons sans le savoir aux bonheurs qui ne s'élèvent plus jusqu'à nous. Ainsi, l'enfant, en grandissant, abandonne, sans qu'il s'en aperçoive, les jeux qui ne l'amusent plus. Et de même que l'enfant apprend plus de choses en jouant qu'il n'en apprend dans le travail qu'on lui impose, la sagesse marche plus vite dans le bonheur qu'elle ne l'eût fait dans le malheur. Les leçons du malheur n'éclairent qu'une partie de la morale; et l'homme qui est sage pour avoir été malheureux, ressemble à l'homme qui a aimé sans qu'on l'aimât. Il ignorera toujours dans la sagesse ce que l'autre ignorera dans un amour auquel l'amour n'a jamais répondu.

«Y a-t-il vraiment dans le bonheur autant de bonheur qu'on le dit?» demandait un jour, à deux âmes heureuses, un philosophe qu'une longue injustice avait un peu trop attristé. Non, le bonheur est à la fois plus et moins enviable qu'on ne pense, parce qu'il est tout autre chose que ce que pensent ceux qui n'ont pas été complètement heureux. Etre gai, ce n'est pas être heureux, et être heureux, ce n'est pas toujours être gai. Il n'y a que les petits bonheurs d'un instant qui sourient et qui ferment les yeux dans le temps qu'ils sourient. Mais, arrivé à une certaine hauteur, le bonheur permanent est aussi grave qu'une noble tristesse. Des sages nous ont appris qu'il ne fallait pas être heureux, afin de pouvoir désirer le bonheur. Mais, si le sage n'a pas été heureux, comment peut-il savoir que la sagesse est l'unique chose qui ne s'attriste ni ne se lasse dans le bonheur? Les penseurs qui connurent le bonheur ont appris à aimer la sagesse bien plus intimement que ceux qui furent malheureux. Il y a une grande différence entre la sagesse qui croît dans le malheur et celle qui se développe dans la félicité. La première console en parlant du bonheur, mais la seconde ne parle plus que d'elle-même. Au bout de la sagesse du malheureux, il y a l'espoir du bonheur; au bout de celle de l'homme heureux, il n'y a plus que la sagesse. Si le but de la sagesse est de trouver le bonheur, ce n'est qu'à force d'être heureux qu'on finit par savoir que ce but ne se trouve qu'en elle.

LVII

La première âme venue ne peut pas porter le bonheur. Il y a le courage du bonheur, comme il y a le courage du malheur. Peut-être faut-il plus de force pour continuer d'être heureux que pour continuer à être malheureux; car l'attente de ce qu'il n'a pas encore donne plus de joie au coeur qui n'est pas sage que la pleine possession de tout ce qu'il a désiré. C'est du sommet d'un bonheur permanent qu'on voit le mieux les désirs de ce coeur qui semble ne pouvoir se nourrir que de crainte ou d'espoir, et qui a tant de mal à se nourrir de ce qu'il a, alors même qu'il a tout.

On voit souvent des êtres forts et pleins de prudence morale, vaincus par le bonheur. N'y trouvant pas tout ce qu'ils y cherchaient, ils ne le défendent ni ne le retiennent avec l'énergie qu'il faudrait toujours déployer dans la vie. Ah! qu'il faut être sage, pour ne plus s'étonner que le bonheur apporte aussi de la tristesse, et pour que cette tristesse ne nous incline pas à croire que nous ne possédons pas encore le bonheur véritable! Ce qu'on trouve de meilleur dans le bonheur, c'est la certitude qu'il n'est pas une chose qui enivre, mais qui fait réfléchir. Il est plus accessible et il devient moins rare, une fois qu'on a appris que le seul don qu'il laisse à l'âme qui sait en profiter; c'est un élargissement de conscience qu'elle n'aurait point trouvé ailleurs. Il est plus important pour l'âme humaine de savoir la valeur d'un bonheur que d'en jouir. Il est nécessaire de savoir bien des choses pour aimer longtemps le bonheur; il est indispensable d'en savoir bien davantage pour reconnaître qu'au sein d'un bonheur sans orage la partie fixe et stable de toute félicité se trouve uniquement dans cette force, qui, tout au fond de notre conscience, pourrait nous rendre heureux au sein du malheur même. Vous ne pouvez vous dire heureux que lorsque le bonheur vous a aidé à gravir des hauteurs d'où vous pouvez le perdre de vue, sans perdre en même temps votre désir de vivre.

LVIII

On trouve des penseurs profonds et pleins du sentiment auguste de l'infini, de l'éternel et de l'universel; on trouve des penseurs comme Pascal, Hello, Schopenhauer, qui ne paraissent guère heureux. Mais on se tromperait étrangement si l'on s'imaginait que l'expression d'une détresse générale suppose toujours un grand désespoir personnel. L'horizon du malheur, contemplé du haut d'une pensée qui n'est plus instinctive, égoïste, médiocre, ne diffère pas sensiblement de l'horizon du bonheur, contemplé du haut d'une pensée de la même nature, mais d'une autre origine. Peu importe, après tout, que les nuages qui s'agitent là-bas, aux confins de la plaine, soient tragiques ou charmants; ce qui apaise le voyageur, c'est d'avoir atteint un endroit élevé, d'où il découvre enfin un espace sans limites. Il n'est pas indispensable que des voiles blanches passent sans cesse sur la mer, pour que la mer nous semble mystérieuse et admirable; et une tempête, pas plus qu'une belle journée calme, n'affaiblit la vie de notre âme. Ce qui l'affaiblit, c'est de rester jour et nuit dans la chambre de nos petites pensées sans générosité, sans ardeur, sans gravité, alors que l'océan illumine le ciel tout autour de notre demeure.

Mais il y a peut-être une différence entre le penseur et le sage. Il arrive que le penseur s'attriste simplement sur les sommets qu'il a gravis, mais le sage tâche d'y sourire de bonne foi et d'une façon si naturelle et si humaine, que le plus humble de ses frères peut recueillir et comprendre ce sourire qui tombe comme une fleur au pied de la montagne. Le penseur ouvre la route «qui va de ce qu'on voit à ce qu'on ne voit pas», mais le sage ouvre la voie qui mène de ce qu'on aime à ce qu'on aimera, et les sentiers qui montent de ce qui ne nous console plus à ce qui peut nous consoler longtemps encore. Il est nécessaire, mais il ne suffit pas, d'avoir sur l'homme, sur Dieu, sur la nature, des pensées vivantes et audacieuses. Qu'est-ce qu'une pensée profonde qui n'apporte aucun réconfort? N'est-ce pas, comme celle qui ne parvient pas à imprégner notre vie de tous les jours, une pensée que le penseur ne possède pas encore tout entière? Il est plus facile de s'affliger et de demeurer dans son affliction, que de faire sur-le-champ, le pas que le temps finit toujours par nous faire faire au delà de cette affliction. Il est plus facile de paraître profond dans la méfiance et les ténèbres, que dans la confiance et l'honnête clarté où les hommes doivent vivre. Est-on sûr d'avoir fait tout l'effort qu'on peut faire, en méditant ainsi, au nom de tous ses frères, sur la détresse de la vie, si, pour ne pas amoindrir le grand tableau de cette détresse, on leur cache les raisons, décisives après tout, pour lesquelles on l'accepte, puisque l'on continue de vivre? Est-ce aller jusqu'au bout de sa pensée que de penser pour ne pas consoler? Il est plus facile de me dire pourquoi vous vous plaignez, que de m'apprendre avec simplicité les motifs plus puissants et plus profonds pour lesquels votre instinct ne rejette pas cette vie dont vous vous plaignez de la sorte.

Qui de nous ne trouve, sans les chercher, mille et mille raisons de n'être pas heureux? Sans doute, il est utile que le sage nous indique les plus hautes, car les raisons très hautes pour n'être pas heureux, sont bien près de se transformer en raison d'être heureux. Mais toutes celles qui ne portent pas en elles ces germes de grandeur et de bonheur (il y a en effet dans la vie morale une foule d'espaces découverts où grandeur et bonheur se confondent), ne méritent pas qu'on les énumère. Il faut être heureux pour rendre heureux; et il faut rendre heureux pour demeurer heureux. Essayons d'abord de sourire pour que nos frères apprennent à sourire, et puis nous sourirons bien plus réellement en les voyant sourire. «Il ne me convient pas que je me chagrine moi-même, moi qui jamais n'ai volontairement chagriné personne», dit Marc-Aurèle, en une de ses plus belles lignes. Mais n'est-ce pas se chagriner soi-même et apprendre en même temps à chagriner les autres, que de n'apprendre pas à être aussi heureux que l'on peut l'être?

LIX

Une petite pensée qui relie un regard satisfait, un acte de bonté quotidienne ou la plus tranquille, la plus modeste des minutes heureuses, à quelque chose de beau, de stable et d'éternel, est plus méritoire, et il est infiniment plus difficile de l'arracher aux mystères de la vie qu'une grande et sombre méditation qui rattache une douleur, un amour, un désespoir, à la mort, au destin ou aux puissances indifférentes qui environnent notre existence. Ne nous laissons pas tromper par des apparences. Hamlet qui se lamente au bord du gouffre, nous semble plus profond et plus passionnant qu'Antonin le Pieux, qui regarde tranquillement les mêmes forces, les accepte et les interroge avec calme, au lieu de les maudire et d'y chercher des sujets d'épouvante. Tout ce qu'on fait durant le jour, paraît moins auguste que le moindre geste qu'on ébauche alors que la nuit tombe, mais l'homme est né pour travailler durant le jour, et non pour s'agiter dans les ténèbres.

LX

Il y a en outre, dans la moindre pensée consolante, une force qu'on ne trouve jamais dans la plus vaste plainte, dans la plus belle idée mélancolique. Une grande idée profonde et attristée, c'est de l'énergie qui éclaire les murs de sa prison en consumant ses ailes dans les ténèbres; mais la plus timide pensée de confiance, d'abandon enjoué aux lois inévitables, c'est déjà une action qui cherche un point d'appui pour prendre enfin son vol dans l'existence. Il n'est pas mauvais de se l'avouer quelquefois: une pensée étendue et désintéressée, c'est chose excellente, mais la réalité ne commence qu'à l'action. Ce qui constitue à proprement parler toute notre destinée, ce sont celles de nos pensées qui, pressées par la foule des pensées incomplètes, obscures, presque indistinctes encore, ont eu la force, ou ont enfin cédé à la nécessité de se transformer en faits, en gestes, en sentiments, en habitudes. Ce n'est pas affirmer qu'il faille négliger les autres. Nos pensées, autour de notre vie réelle, on dirait d'une armée qui assiège une ville. Il est probable que la plupart des soldats, quand la ville sera prise, n'entreront pas dans son enceinte. On écartera notamment les auxiliaires, les barbares, toutes les bandes informes en un mot, qui céderaient trop facilement à l'ivresse du pillage, des flammes et du sang. Il est probable aussi que les deux tiers des troupes ne prendront aucune part au combat décisif. Mais on a bien souvent besoin des forces inutiles; et il est évident que la ville n'aurait pas tremblé, n'aurait jamais ouvert ses portes, si l'armée n'avait pas été innombrable au fond des plaines et bien disciplinée au pied des murs. Il en va de même dans notre vie morale. Les pensées qui ne sont pas entrées dans la réalité n'ont pas été tout à fait vaines; elles ont poussé ou soutenu les autres, mais celles-ci sont les seules qui aient accompli leur mission jusqu'au bout. Et c'est pourquoi ayons toujours sous nos ordres, devant les rangs épais de nos idées confuses et attristées, un groupe de pensées plus confiantes, plus humaines, plus simples et prêtes à pénétrer hardiment dans la vie.

LXI

On a beau vouloir s'élever au-dessus des réalités dans un désir très pur du bien immatériel, mille intentions ne valent pas un geste; non que les intentions n'aient aucune valeur, mais le moindre geste de bonté, de courage, de justice, exige plus d'un millier de bonnes intentions.

Les chiromanciens prétendent que toute notre vie se grave dans notre main, et ce qu'ils appellent notre vie, c'est un certain nombre d'actions qui inscrivent dans notre chair, soit avant, soit après leur accomplissement, des marques indélébiles. Nos pensées et nos intentions n'y laissent pour ainsi dire aucune trace. Si j'ai nourri durant de longs jours des projets de meurtre, de trahison, d'héroïsme ou de sacrifice, il se peut que ma main n'en dise rien; mais si j'ai tué, par hasard, peut-être par erreur, au détour d'une rue, quelqu'un qui paraissait me menacer; ou si, passant par la même rue, je dois arracher quelque jour, un nouveau-né aux flammes qui l'envelopperont, ma main portera toute ma vie l'irrécusable signe du meurtre ou de l'amour. Que les chiromanciens s'illusionnent ou non, peu importe, il y a une grande vérité morale au fond de cette distinction. Une pensée peut me laisser jusqu'à ma mort à la même place dans l'univers; mais une action me fera presque toujours avancer ou reculer d'un rang dans la hiérarchie des êtres. Une pensée, c'est une force isolée, errante et passagère, qui s'avance aujourd'hui et que je ne reverrai peut-être pas demain; mais une action suppose une armée permanente d'idées et de désirs, qui a su conquérir, après de longs efforts, un point d'appui dans la réalité.

LXII

Mais nous voici bien loin de la noble Antigone et de l'éternel problème de la vertu infructueuse. Il est certain que le destin, entendu au sens ordinaire de ce mot, c'est-à-dire désignant uniquement le chemin qui conduit à la mort, ne respecte guère la vertu. Arrivé au bord de cet abîme, qui est comme la cuve centrale où les morales viennent se purifier ou se troubler définitivement, on nous force à choisir entre la justification, et la condamnation du hasard. La plupart des sacrifices du devoir peuvent se ramener au type du sacrifice d'Antigone. Qui de nous n'a vu autour de soi plus d'un exemple d'héroïsme châtié? Un ami, du fond du lit qu'il ne devait quitter que pour un autre lit qu'on n'abandonne plus, me faisait un jour suivre du doigt, pour ainsi dire, tous les détours dont se servit le sort pour l'amener à boire, dans une ville étrangère, la gorgée d'eau empoisonnée qui devait lui donner la mort. Rien n'était plus visible que les fils innombrables tissés par le destin autour de cette vie, et le moindre incident semblait doué d'une prévoyance et d'une malice incomparables. Et pourtant, mon ami n'était allé là-bas que pour y remplir un de ces devoirs que les sages, les héros ou les saints discernent seuls à l'horizon de la conscience. Que faut-il répondre? Taisons-nous encore sur ce point; nous y reviendrons tout à l'heure. Mon ami, s'il avait survécu, serait reparti le lendemain pour une autre ville, où un autre devoir l'eût appelé, sans même se demander s'il répondait encore à l'appel d'un devoir. Il y a des êtres qui obéissent ainsi à tous les ordres chuchotés par leur coeur. Ils n'ont nul souci de l'injustice de la fortune ou de l'ingratitude de la vertu; ils ne s'occupent que de l'injustice des hommes et semblent se dire que les autres injustices ne les regardent pas encore.

Est-il vrai qu'il ne faille jamais hésiter et qu'on ne fasse tout son devoir qu'autant qu'on ne se doute même pas qu'on le fait? Est-il indispensable qu'on s'élève à un point d'où le devoir n'apparaisse plus comme un choix de nos sentiments les plus nobles, mais comme une silencieuse nécessité de toute notre nature?

LXIII

Il en est qui attendent, s'interrogent, jugent, pèsent, et se décident enfin. Ils ont raison aussi. Qu'importe que l'accomplissement d'un devoir soit le résultat de l'instinct ou de l'intelligence? Les gestes de l'instinct, comme les gestes de l'enfant, ont ordinairement une beauté un peu vague, naïve, inattendue, qui nous touche davantage, mais ceux de la bonne volonté réfléchie ne possèdent-ils pas une beauté plus sérieuse et plus ferme? Il est donné à peu de coeurs d'être naïvement admirables; et l'on aurait tort d'aller chercher en eux toutes les lois de nos devoirs. Au reste, la bonne volonté réfléchie, alors même qu'elle n'a plus d'illusions, aperçoit un grand nombre de devoirs moins séduisants, que l'instinct ne voit pas; et la valeur morale d'un être ne s'estime-t-elle point au nombre des devoirs qu'il aperçoit et qu'il a l'intention d'accomplir.

Il est bon que la plupart suivent sans s'interroger trop attentivement (car il faut s'interroger bien longtemps pour que les réponses de la conscience deviennent enfin semblables aux réponses de l'instinct); il est bon que la plupart suivent en attendant l'instinct du sacrifice dans le devoir. Ils suivent ainsi, les yeux fermés, une lumière que les meilleurs de leurs ancêtres invisibles portent devant eux. Mais enfin, ce n'est pas là l'idéal; et celui qui abandonne la moindre chose au profit de son frère, sachant ce qu'il abandonne et pourquoi il le fait, occupe dans la vie morale une situation plus haute que celui qui offre sa vie même sans avoir jeté un regard en arrière.

LXIV

Le monde est plein d'êtres faibles et nobles qui s'imaginent que le dernier mot du devoir se trouve dans le sacrifice. Le monde est plein de belles âmes qui, ne sachant que faire, cherchent à sacrifier leur vie; et cela est regardé comme la vertu suprême. Non, la vertu suprême est de savoir que faire, et d'apprendre à choisir à quoi l'on peut donner sa vie. Ce n'est que provisoirement que le devoir pour chacun de nous est ce qu'il croit être son devoir. Le premier de tous nos devoirs est d'éclairer notre idée du devoir. Le mot *devoir* contient souvent bien plus d'erreurs et de nonchalance morale qu'il ne renferme de vertus, Clytemnestre dévoue sa vie à venger sur Agamemnon la mort d'Iphigénie, et Oreste sacrifie la sienne à venger sur Clytemnestre la mort d'Agamemnon. Mais il a suffi qu'un sage passât en disant: «Pardonnez à vos ennemis», pour que tous les devoirs de la vengeance fussent effacés de la conscience humaine. Il suffira peut-être qu'un autre sage passe un jour, pour que la plupart des devoirs du sacrifice en soient également bannis. En attendant, certaines idées sur le renoncement, la résignation et le sacrifice épuisent plus profondément que de grands vices et que des crimes même, les plus belles forces morales de l'humanité.

LXV

Oui, la résignation est bonne et nécessaire devant les faits généraux et inévitables de la vie, mais sur tous les points où la lutte est possible, la résignation n'est que de l'ignorance, de l'impuissance ou de la paresse déguisées. Il en est de même du sacrifice, qui n'est trop souvent que le bras affaibli que la résignation agite encore dans le vide. Il est beau de savoir se sacrifier simplement, lorsque le sacrifice vient au-devant de nous et qu'il apporte un bonheur véritable aux autres hommes; mais il n'est ni sage ni utile de consacrer sa vie à la recherche du sacrifice, et de regarder cette recherche comme le plus beau triomphe de l'esprit sur la chair. (Pour le dire en passant, on attache d'ordinaire une importance infiniment trop grande aux triomphes de l'esprit sur la chair; et ces prétendus triomphes ne sont le plus souvent que des défaites totales de la vie.) Le sacrifice peut être une fleur que la vertu cueille en passant, mais ce n'est pas pour la cueillir qu'elle s'est mise en route. C'est une grave erreur de croire que la beauté d'une âme se trouve dans son avidité du sacrifice; sa beauté féconde réside dans sa conscience et dans l'élévation et la puissance de sa vie. Il est vrai qu'il y a des âmes qui ne se sentent vivre que dans le sacrifice; mais il est vrai aussi que ce sont des âmes qui n'ont pas le courage ou la force d'aller à la recherche d'une autre vie morale. Il est en général beaucoup plus facile de se sacrifier, c'est-à-dire d'abandonner sa vie morale, au profit de qui veut bien la prendre, que d'accomplir sa destinée morale et de remplir jusqu'au bout la tâche pour laquelle la nature nous avait créés. Il est, en général, beaucoup plus facile de mourir moralement et même physiquement pour les autres, que d'apprendre à vivre pour eux. Trop d'êtres endorment ainsi toute initiative, toute existence personnelle dans l'idée qu'ils sont toujours prêts à se sacrifier. Une conscience qui ne va pas au delà de l'idée du sacrifice et qui se croit en règle avec soi, parce qu'elle cherche sans cesse l'occasion de donner ce qu'elle a, est une conscience qui a fermé les yeux et qui s'est assoupie au pied de la montagne. Il est beau de se donner, et c'est d'ailleurs à force de se donner qu'on finit par se posséder quelque peu; mais c'est se préparer à donner peu de chose que de n'avoir à donner à ses frères que le désir de se donner. Avant donc que de donner, essayons d'acquérir; et ne croyons pas qu'en donnant nous soyons dispensés du devoir d'acquérir. Attendons l'heure du sacrifice en travaillant à autre chose. Elle finit toujours par sonner; mais ne perdons pas notre temps à la chercher sans cesse au cadran de la vie.

LXVI

Il y a sacrifice et sacrifice; et je ne parle pas ici du sacrifice des forts qui savent, comme Antigone, renoncer à eux-mêmes, quand le destin, prenant la forme du bonheur évident de leurs frères, leur ordonne d'abandonner leur bonheur et leur vie. Je parle ici du sacrifice des faibles, du sacrifice qui se replie sur son inanité avec une satisfaction puérile, du sacrifice qui se contente de nous bercer, comme une nourrice aveugle, dans les bras amaigris du renoncement et de la souffrance gratuite. Écoutons ce que nous dit à ce sujet un penseur excellent de ce temps, John Ruskin: «La volonté de Dieu est que nous vivions par le bonheur et la vie de nos frères et non par leur misère et par leur mort. Il se peut qu'un enfant doive mourir pour ses parents, mais le dessein du ciel est qu'il vive pour eux. Ce n'est pas par le sacrifice, mais par sa force, sa joie, la puissance de sa vie, qu'il leur sera un renouvellement de vigueur et comme la flèche dans la main du géant.» Il en est de même dans toutes les autres relations véritables. Les hommes s'entr'aident par leurs joies et non par leurs tristesses. Ils ne sont pas créés afin de se tuer l'un pour l'autre, mais afin de se fortifier l'un par l'autre. Et parmi maintes choses très belles, qu'un usage erroné a rendues très mauvaises, je ne sais si certain esprit de sacrifice inconscient et trop doux ne doit être compté parmi les plus fatales. On a si bien appris à quelques âmes qu'il y a une vertu dans la souffrance comme telle, qu'elles acceptent la peine et la détresse comme si c'était leur part inévitable, ne comprenant point que leur défaite n'en est pas moins déplorable, parce qu'elle est plus fatale à leurs ennemis qu'à elles-mêmes.

LXVII

On nous dit: «Aimez votre prochain comme vous-même», mais si vous vous aimez d'une manière étroite, puérile et craintive, vous aimerez votre prochain de la même façon. Apprenez donc à vous aimer largement, sainement, sagement et complètement. C'est chose moins facile qu'on ne croit. L'égoïsme d'une âme clairvoyante et forte est plus efficacement charitable que tout le dévouement d'une âme aveugle et faible. Avant d'exister pour les autres, il importe que vous existiez pour vous-même; avant de vous donner, il faut vous acquérir. Soyez certain que l'acquisition d'une parcelle de votre conscience importe mille fois plus, au bout du compte, que le don de votre inconscience tout entière.

Presque toutes les grandes choses de ce monde ont été faites par des êtres qui ne songeaient nullement à se sacrifier. Platon n'abandonne pas sa pensée pour mêler ses larmes aux larmes de ceux qui pleurent dans Athènes; Newton ne quitte pas ses spéculations pour sortir à la recherche de sujets de pitié ou de tristesse; et surtout Marc-Aurèle (car il s'agit ici du sacrifice moral le plus fréquent et le plus dangereux), Marc-Aurèle n'éteint pas la clarté de son âme pour rendre plus heureuse l'âme inférieure de Faustine. Or, ce qui est juste dans l'existence de Platon, de Newton ou de Marc-Aurèle, est également juste dans l'existence de toute âme. Car toute âme dans sa sphère a les mêmes devoirs envers soi que l'âme des plus grands. Convainquons-nous une fois pour toutes, que le devoir capital de notre âme est d'être aussi complète, aussi heureuse, aussi indépendante, aussi grande que possible. Il ne s'agit pas ici d'égoïsme ou d'orgueil. On ne devient efficacement généreux, on ne devient véritablement humble que quand on a un sentiment de soi éclairé, confiant et pacifique. On peut sacrifier à ce but la passion même du sacrifice; car le sacrifice ne doit pas être un moyen de s'ennoblir, mais le signe d'un ennoblissement.

LXVIII

Sachons offrir, quand il le faut, à nos frères malheureux, nos richesses, notre temps, notre vie; c'est là le don exceptionnel de quelques heures exceptionnelles, mais le sage n'est pas tenu de négliger son bonheur et tout ce qui entoure son existence, pour se préparer uniquement à traverser, avec plus ou moins d'héroïsme, une ou deux heures exceptionnelles. En morale, il faut avant tout s'attacher aux devoirs qui reviennent tous les jours, aux actes fraternels qui ne s'épuisent pas. À ce point de vue, dans la marche ordinaire de la vie, la seule chose dont nous puissions offrir une part sans cesse renaissante aux âmes heureuses ou malheureuses de ceux qui s'avancent à nos côtés le long des mêmes routes, c'est la force, la confiance, l'indépendance apaisée de notre âme. C'est pourquoi le plus humble des hommes est obligé d'entretenir et d'agrandir son âme, comme s'il savait qu'un jour elle dût être appelée à consoler ou réjouir un Dieu. Quand il s'agit de préparer une âme, il faut toujours la préparer pour une mission divine. En ce domaine seul, et à cette condition, se fait le véritable don de l'homme et s'accomplit le sacrifice par excellence. Et quand son heure sonne, croyez-vous que ce que donne alors Socrate ou Marc-Aurèle, qui vécut mille vies, ayant fait mille fois le tour de sa vie, ne vaille pas mille fois tout ce que peut donner celui qui n'a pas fait un pas dans sa conscience; et que s'il est un Dieu, il pèse seulement le sacrifice au poids du sang de notre corps, et que le sang de l'âme, qui est sa vertu, son sentiment d'elle-même, toute sa vie morale, et toute la force qu'elle a accumulée durant bien des années, n'ait aucune valeur?

LXIX

Ce n'est pas en se sacrifiant que l'âme devient plus grande; mais c'est en devenant plus grande qu'elle perd de vue le sacrifice, comme le voyageur qui s'élève perd de vue les fleurs du ravin. Le sacrifice est un beau signe d'inquiétude, mais il ne faut pas cultiver l'inquiétude pour elle-même. Tout est sacrifice aux âmes qui s'éveillent; bien peu de choses portent encore le nom de sacrifice pour une âme qui a su trouver une vie dont le dévouement, la pitié et l'abnégation ne sont plus les racines indispensables mais les fleurs invisibles. En vérité, trop d'êtres éprouvent le besoin de détruire, même inutilement, un bonheur, un amour, un espoir qui leur appartient, pour s'apercevoir à la clarté des flammes de l'holocauste. On dirait qu'ils portent une lampe dont ils ne savent pas l'usage; et lorsque la nuit tombe, et qu'ils sont avides de lumière, ils en répandent la substance sur un feu étranger.

Évitons d'agir comme ce gardien du phare de la légende, qui distribuait aux pauvres des cabanes voisines l'huile des grandes lanternes qui devaient éclairer l'océan. Toute âme, dans son milieu, est gardienne d'un phare plus ou moins nécessaire. La mère la plus humble qui se laisse attrister, absorber, anéantir tout entière par les plus étroits de ses devoirs de mère, donne son huile aux pauvres, et ses enfants souffriront toute leur vie que l'âme de leur mère n'ait pas été aussi claire qu'elle eût pu l'être. La force immatérielle qui luit dans notre coeur doit luire avant tout pour elle-même. Ce n'est qu'à ce prix-là qu'elle luira pour les autres. Si petite que soit votre lampe, ne donnez jamais l'huile qui l'alimente, mais la flamme qui la couronne.

LXX

Il est certain que l'altruisme demeurera toujours le centre de gravité des âmes nobles, mais les âmes faibles se perdent dans les autres, tandis que les âmes fortes s'y retrouvent. Voilà la grande différence. Ce qui vaut mieux qu'aimer son prochain comme soi-même, c'est de s'aimer soi-même en lui. Il y a une bonté qui précède certains êtres, il y en a une qui suit certains autres. Il y a une bonté qui épuise, et une autre bonté qui nourrit. N'oublions pas que, dans le commerce des âmes, ce ne sont point celles qui croient donner toujours qui sont les généreuses. Une âme forte prend sans cesse, même aux plus pauvres, une âme faible donne toujours, même aux plus riches; mais il y a une façon de donner qui n'est que de l'avidité qui a perdu courage, et si un Dieu venait faire le compte, peut-être verrions-nous que c'est en prenant que l'on donne et en donnant que l'on enlève. Il arrive souvent qu'une âme médiocre ne commence à grandir que du jour où elle a rencontré une âme qui l'épuise.

LXXI

Pourquoi ne pas s'avouer que le devoir par excellence ce n'est pas de pleurer avec tous ceux qui pleurent, de souffrir avec tous ceux qui souffrent et de tendre son coeur à ceux qui passent pour qu'ils le meurtrissent ou pour qu'ils le caressent? Les pleurs, les souffrances, les blessures ne nous sont salutaires qu'autant qu'ils ne découragent pas notre vie. Ne l'oublions jamais: quelle que soit notre mission sur cette terre, quel que soit le but de nos efforts et de nos espérances, le résultat de nos douleurs et de nos joies, nous sommes avant tout les dépositaires aveugles de la vie. Voilà l'unique chose absolument certaine, voilà le seul point fixe de la morale humaine. On nous a donné la vie, nous ne savons pourquoi, mais il semble évident que ce n'est pas pour l'affaiblir ou pour la perdre. Nous représentons même une forme toute spéciale de la vie sur cette planète: la vie de la pensée, la vie des sentiments; et c'est pourquoi tout ce qui est propre à diminuer l'ardeur de la pensée, l'ardeur des sentiments est probablement immoral. Tâchons donc d'activer, d'embellir, d'amplifier cette ardeur; avant tout, augmentons notre confiance dans la grandeur, dans la puissance et dans la destinée de l'homme. Il est vrai que je pourrais dire tout aussi bien: sa petitesse, sa faiblesse et sa misère. Il est aussi passionnant d'être grandement misérable que d'être grandement heureux. Peu importe, après tout, que ce soit l'homme ou l'univers qui nous paraisse admirable, pourvu que quelque chose nous paraisse admirable et que nous exaltions notre conscience de l'infini. Une étoile qu'on découvre ajoute plus d'un rayon aux pensées, aux passions, au courage de l'homme. Tout ce que nous voyons de beau dans ce qui nous entoure est déjà beau dans notre coeur, tout ce que nous trouvons d'adorable et de grand en nous-même, nous le trouvons en même temps dans les autres. Si mon âme, en s'éveillant ce matin, a rencontré dans les pensées de son amour une idée qui la rapprocha un peu d'un Dieu qui n'est sans doute, comme on l'a dit plus haut, que le plus beau de ses désirs, je vois trembler cette même idée dans le pauvre qui passe l'instant d'après sous mes fenêtres, et je l'aime davantage pour le connaître mieux.

Ne croyons pas qu'il soit inutile d'aimer ainsi; ce sera grâce à quelques-uns qui aimeront ainsi de plus en plus profondément, que l'homme saura un jour ce qu'il lui faudra faire. La morale véritable doit naître de l'amour conscient et infini. La grande charité, c'est l'ennoblissement. Mais je ne puis vous ennoblir si je ne me suis pas ennobli le premier, je ne puis vous admirer si je n'ai rien trouvé d'admirable en moi-même. Lorsque j'ai fait un acte noble, la meilleure récompense que m'accorde cet acte, c'est la certitude de plus en plus naturelle, de plus en plus invincible que vous pouvez en faire autant. Toute pensée qui augmente mon coeur, augmente en moi l'amour et le respect pour l'homme. À mesure que je monte, vous montez avec moi. Mais si, pour vous aimer, parce que votre amour n'a pas encore d'ailes, je coupe les ailes à mon amour, il y aura deux fois plus de larmes et de plaintes inutiles au fond de la vallée, mais l'amour ne fera pas un pas vers la montagne. Aimons toujours du plus haut point que nous puissions atteindre. N'aimons pas par pitié lorsqu'on peut aimer par amour; ne pardonnons pas par bonté lorsqu'on peut pardonner par justice; n'apprenons pas à consoler lorsque l'on peut apprendre à respecter. Ah! soyons attentifs à améliorer sans relâche la qualité de l'amour que nous donnons aux hommes! Une coupe de cet amour prise sur les sommets en vaut cent que l'on puise aux citernes stagnantes de la charité ordinaire. Et si celui que vous n'aimez plus par pitié ou simplement parce qu'il pleure, doit ignorer, jusqu'à la fin, que vous l'aimez en ce moment pour l'avoir ennobli en même temps que vous-même, qu'importe après tout? Vous avez fait ce que vous conceviez comme le meilleur, encore que le meilleur puisse n'être pas utile. Ne faut-il pas toujours agir en cette vie comme si le Dieu que désire le plus haut désir de notre coeur nous contemplait sans cesse?

LXXII

Mais revenons aux grandes lois incohérentes. Il n'y a pas longtemps, dans une catastrophe affreuse, le destin manifesta une fois de plus et d'une manière plus éclatante que jamais, ce que les hommes appellent son injustice, son aveuglement ou son indépendance. Il parut y punir expressément la seule des vertus extérieures que la raison nous ait laissée, je veux dire l'amour du prochain. Il est probable qu'il y avait quelques justes imparfaits dans l'enceinte où la fatalité descendit ce jour-là. Il paraît même certain qu'il s'y trouvait au moins un juste véritable et désintéressé. C'est la présence presque certaine de ce juste qui pose dans toute sa pureté la question terrible que nous ne pouvons nous empêcher de faire. S'il n'avait pas été là, nous pourrions nous dire que nous ne savons pas de quelle somme de justice souveraine est faite une injustice qui nous paraît énorme. Nous pourrions nous dire que ce qu'on appelait là-bas *charité* n'était peut-être que la fleur trop audacieuse d'une injustice permanente. L'homme ne peut se décider à croire qu'en tout ce qui est extérieur il n'ait à lutter et à compter qu'avec des faits et des forces aveugles: l'eau, le feu, l'air, les lois de la pesanteur et quelques autres. Nous avons besoin d'excuser le hasard; et quand nous l'accusons formellement, n'est-ce pas comme si nous l'excusions dans le passé et l'avenir, avec l'étonnement pénible que nous éprouvons en apprenant qu'un homme de bien a commis un acte bas et vil? Nous nous plaisons à créer un hasard idéal plus juste que nous-mêmes, et lorsqu'il vient de commettre une injustice irrécusable, notre stupeur passée, tout au fond de notre coeur, nous lui rendons notre confiance, en nous disant que nous ne savons pas tout ce qu'il sait, et qu'il doit avoir obéi à des lois que nous ne pouvons pénétrer. Le monde nous semblerait trop noir si le hasard n'était pas moral. Qu'il n'y ait pas une justice ou une morale gardienne de la nôtre, cela nous paraîtrait la négation même de toute morale et de toute justice. Nous ne voulons plus de la basse et étroite morale des châtiments et des récompenses que nous offrent les religions positives, mais nous oublions que si le hasard était doué du moindre sentiment de justice, la morale haute et désintéressée que nous rêvons ne serait plus possible. Si nous ne sommes pas convaincus que le hasard est absolument sans justice, nous n'avons plus aucun mérite à être justes. Nous refusons l'idéal des saints, et nous sommes persuadés que faire son devoir dans l'espoir d'une récompense quelconque, ne serait-ce que la satisfaction du devoir accompli, doit avoir, aux yeux d'un Dieu sage, à peu près la même valeur que faire le mal parce qu'il nous profite. Nous nous disons volontiers que si Dieu est aussi haut que l'idée la plus haute qu'il a mise dans l'âme des meilleurs d'entre nous, il devrait écarter tous les hommes qui ont voulu lui plaire, c'est-à-dire qui n'ont pas fait le bien comme s'il n'existait pas, et qui n'ont pas aimé la vertu plus que Dieu même. Mais, en réalité, et devant le moindre événement, nous nous apercevons que nous sortons à peine des traités de *Morale en action* de l'enfance, dans lesquels tous les crimes sont punis. Il nous faudrait, au contraire, des « recueils de vertus châtiées». Ils seraient plus utiles aux véritables âmes et entretiendraient davantage la fierté et l'énergie du bien. Ne perdons pas de vue que c'est de l'immoralité même du hasard que doit naître une morale plus belle. Ici, comme partout plus l'homme se sent abandonné, plus il retrouve la force propre de l'homme. Ce qui nous inquiète dans ces grandes injustices, c'est la négation d'une haute loi morale; mais de cette négation même naît immédiatement une loi morale supérieure. Avec la suppression du châtiment et de la récompense naît la nécessité de faire le bien pour le bien. Ne nous troublons jamais lorsqu'une loi morale nous semble disparaître; il y en a toujours une plus grande en réserve. Tout ce que nous ajoutons à la moralité du destin, nous l'enlevons à notre idéal moral le plus pur. Au contraire, plus nous sommes convaincus que le destin n'est pas juste, plus nous élargissons et purifions devant nous les champs d'une morale meilleure. Ne nous imaginons pas que les bases de la vertu s'effondrent parce que Dieu nous semble injuste. Ce serait dans l'injustice évidente de son Dieu que la vertu humaine trouverait enfin des fondements inébranlables.

LXXIII

Résignons-nous à l'indifférence de la nature envers le sage. Cette indifférence ne nous semble étrange que parce que nous ne sommes pas assez sages; car l'un des devoirs de la sagesse est de se rendre un compte aussi exact et aussi humble que possible de la place que l'être humain occupe dans l'univers.

L'être humain paraît grand dans sa sphère comme l'abeille paraît grande sur la cellule de son rayon de miel; mais il serait absurde d'espérer qu'une fleur de plus s'ouvrira dans les champs parce que la reine des abeilles a été héroïque dans sa ruche. Ne croyons pas nous diminuer en agrandissant l'univers. Que ce soit nous-mêmes ou le monde entier qui nous paraisse grand, le sentiment de l'infini, qui est le sang de toute vertu, circulera de la même façon dans notre âme.

Qu'est-ce qu'un acte de vertu pour en attendre ainsi des récompenses extraordinaires? Ce n'est pas dans les lois de la gravitation mais en nous qu'il faut trouver ces récompenses. Il n'y a que ceux qui ne savent pas ce que c'est que le bien qui demandent un salaire pour le bien. Surtout n'oublions pas qu'un acte de vertu est toujours un acte de bonheur. Il est toujours la fleur d'une longue vie intérieure heureuse et satisfaite. Il suppose toujours des heures et de longues journées de repos sur les montagnes les plus paisibles de notre âme. Aucune récompense postérieure ne vaudrait la calme récompense qui l'a précédé. Le juste qui périt dans la catastrophe dont je viens de parler, n'était là que parce que son âme avait trouvé dans le bien une certitude, une paix, que nul bonheur, nulle gloire, nul amour n'aurait pu lui donner. Si les flammes s'ouvraient, si les eaux reculaient, si la mort hésitait parfois devant de tels êtres, que seraient désormais les héros et les justes? Où serait le bonheur d'une vertu qui n'est complètement heureuse que parce qu'elle est noble et pure, et qui n'est noble et pure que parce qu'elle n'attend aucune récompense? Il y a une joie humaine à faire le bien en poursuivant un but; il y a une joie divine à faire le bien et à n'espérer rien. On sait en général pourquoi l'on fait le mal; mais moins on sait exactement pourquoi l'on fait le bien, plus est pur le bien que l'on fait. Pour apprendre ce que vaut un juste, demandons-lui pourquoi il est juste: il est probable que celui qui aura le moins à répondre sera le juste le plus parfait. Il se peut qu'à mesure que l'intelligence s'étend, le nombre des raisons qui poussent une âme à l'héroïsme semblent diminuer, mais en même temps l'intelligence s'aperçoit qu'elle n'a plus d'autre idéal qu'un héroïsme de plus en plus secret et désintéressé.

Quoi qu'il en soit, celui qui éprouve le besoin d'agrandir la vertu en y ajoutant l'approbation du destin et du monde, n'a pas encore le sentiment de la vertu. On n'agit vraiment bien que lorsqu'on agit bien pour soi seul, sans autre attente que de savoir de mieux en mieux ce que c'est que le bien. «Sans autre témoin que son coeur», dit Saint-Just. Il y a, j'imagine, aux yeux de Dieu, une différence notable entre l'âme d'un homme qui est persuadé que les rayons d'un acte de vertu n'ont pas de limites, et l'âme de celui qui se dit que ces rayons ne sont probablement pas faits pour sortir de l'enceinte de son coeur. Une vérité trop ambitieuse, pour n'être pas douteuse, peut donner un moment une force plus grande, mais une vérité plus humble et plus humaine donne toujours une force plus patiente et plus grave. Faut-il être le soldat convaincu que chacun de ses coups détermine la victoire, ou celui qui sait la petite chose qu'il est dans la mêlée et combat néanmoins d'un courage aussi ferme? L'homme de bien se ferait scrupule de tromper son prochain, mais n'est que trop porté à accepter la pensée que se tromper un peu soi-même est un acte d'idéal.

Mais revenons aux déceptions du juste. Je crois que les meilleurs d'entre nous chercheraient un autre bonheur si la vertu était utile, et Dieu leur ôterait leur grande raison de vivre s'il les récompensait souvent. Il est probable que rien n'est nécessaire, que rien n'est indispensable, et que si l'âme n'avait plus cette joie de faire le bien parce qu'il est le bien, elle en trouverait une autre plus pure encore; mais en attendant, c'est la plus belle qu'elle possède, n'y touchons pas sans motif. Ne touchons pas trop aux malheurs de la vertu, de peur de toucher en même temps à l'essence la plus limpide de son bonheur. Les âmes qui goûtent réellement ce bonheur seraient aussi étonnées qu'on songeât à les récompenser, que les autres seraient étonnées qu'on songeât à punir le malheur. Il n'y a que ceux qui ne vivent pas dans la justice qui s'en plaignent toujours.

LXXIV

La sagesse hindoue a raison quand elle dit: «Travaille, comme travaillent ceux-là qui sont ambitieux. Respecte la vie, comme le font ceux qui la désirent. Sois heureux comme le sont ceux qui vivent pour le bonheur de vivre.»

Et c'est encore le point central de la sagesse humaine. Agir comme si tout acte portait un fruit extraordinaire et éternel, et cependant savoir combien c'est peu de chose qu'un acte juste en face de l'univers. Avoir le sentiment de la disproportion et marcher néanmoins comme si les proportions étaient humaines. Ne pas perdre de vue la grande sphère, et se mouvoir dans la petite avec autant de confiance, autant de gravité, de conviction et de satisfaction, que si elle contenait la grande.

Avons-nous besoin d'illusions pour entretenir notre désir du bien? S'il en était ainsi, il faudrait s'avouer que ce désir n'est pas conforme à la nature humaine. Il n'est pas prudent de s'imaginer que le coeur croit longtemps à des choses auxquelles la raison ne croit plus. Mais la raison peut croire à des choses qui se trouvent dans le coeur. Elle finit même par s'y réfugier de plus en plus simplement, chaque fois que la nuit tombe sur son domaine. Car la raison est à l'égard du coeur comme une fille clairvoyante, mais trop jeune, qui a souvent besoin des conseils de sa mère, souriante et aveugle. Il arrive un moment dans la vie où la beauté morale semble plus nécessaire que la beauté intellectuelle. Il arrive un moment où toutes les acquisitions de l'esprit doivent se déverser dans la grandeur de l'âme sous peine de mourir misérablement dans la plaine comme un fleuve qui ne trouve pas la mer.

LXXV

Mais n'exagérons rien quand il s'agit de la sagesse, fût-ce la sagesse même. Si les forces du dehors ne s'arrêtent pas toujours devant l'homme de bien, la plupart des puissances intérieures lui sont soumises; et presque tous les bonheurs et les malheurs des hommes proviennent des puissances intérieures. Nous avons dit ailleurs que le sage qui passe interrompt mille drames. Il interrompt, en effet, par sa seule présence, la plupart des drames qui naissent de l'erreur ou du mal. Il les interrompt en lui-même et les empêche de naître autour de lui. Des gens qui auraient fait mille choses folles ou mauvaises, ne les font pas, parce qu'ils ont rencontré un être doué d'une sagesse simple et vivante, car dans la vie, la plupart des caractères sont des caractères accessoires, et suivant le hasard, s'attachent à un sillage de souffrance ou de paix. Autour de Jean-Jacques Rousseau, par exemple, tout gémit, tout trahit, tout est plein de détours et d'arrière-pensées, tout paraît délirer; autour de Jean-Paul, tout est loyal, tout semble noble et clair, tout s'apaise et tout aime. Ce que nous dominons en nous, nous le dominons en même temps dans tous ceux qui s'approchent de nous. Il se forme autour du juste un grand cercle paisible où les flèches du mal perdent peu à peu l'habitude de passer. Les souffrances morales qui l'atteignent ne dépendent plus des hommes. Il est vrai, au pied de la lettre, que leur malice ne peut nous faire pleurer que dans les régions où nous n'avons pas encore perdu le désir de faire pleurer nos ennemis. Si les traits de l'envie nous font saigner encore, c'est que nous aurions pu lancer ces mêmes traits, et si une trahison nous arrache des larmes, c'est que nous avons toujours en nous la puissance de trahir. On ne peut blesser l'âme qu'avec les armes offensives qu'elle n'a pas encore jetées sur le grand bûcher de l'amour.

LXXVI

Quant aux drames du bien, ils se jouent sur une scène qui demeure mystérieuse au sage comme aux autres hommes. Nous n'en apercevons que le dénouement, mais nous ignorons dans quelle ombre ou dans quelle lumière ce dénouement fut préparé. Le juste ne peut se promettre qu'une chose, c'est que son destin l'atteindra dans un acte de charité ou de justice. Il ne sera jamais frappé qu'en état de grâce, selon l'expression des chrétiens, c'est-à-dire en état de bonheur intérieur. Et c'est déjà fermer toutes les portes aux mauvaises destinées intérieures, et la plupart des portes aux hasards du dehors.

À mesure que s'élève notre idée du devoir et du bonheur, l'empire de la souffrance morale se purifie; et n'est-ce pas l'empire le plus tyrannique du destin? Notre bonheur dépend, en somme, de notre liberté intérieure. Cette liberté grandit quand nous faisons le bien, et diminue quand nous faisons le mal. Ce n'est pas métaphoriquement, mais très réellement que Marc-Aurèle se délivre chaque fois qu'il trouve une vérité nouvelle dans l'indulgence, chaque fois qu'il pardonne ou qu'il pense. C'est moins métaphoriquement encore que Macbeth s'enchaîne à chacun de ses crimes. Et tout ce qui est vrai d'un grand crime sur une scène royale, et d'une grande vertu dans une vie héroïque, est pareillement vrai des plus humbles fautes et de toutes les vertus inconnues d'une vie ordinaire. Il y a tout autour de nous des Marc-Aurèles enfants, et des Macbeths qui ne sortent pas de leur chambre. Si imparfaite que soit notre idée du bien, dès que nous l'abandonnons un instant, nous nous livrons aux forces malveillantes du dehors. Un simple mensonge envers moi-même, enseveli dans le silence de mon coeur, peut porter à ma liberté intérieure une atteinte aussi funeste qu'une trahison sur la place publique. Et sitôt que ma liberté intérieure est atteinte, le destin s'approche de ma liberté extérieure, comme un fauve s'approche à pas lents d'une proie qu'il a longtemps guettée.

LXXVII

Existe-t-il un drame où un être parfaitement beau et parfaitement sage souffre aussi profondément que le méchant? Il semble exact que dans ce monde le mal entraîne son châtiment plus sûrement que la vertu ne voit sa récompense. Il est vrai que le crime a l'habitude de se punir lui-même au milieu de grands cris, tandis que la vertu se récompense dans le silence, qui est le jardin clos de son bonheur. Le mal enfin amène des catastrophes éclatantes, mais un acte de vertu n'est qu'un sacrifice muet aux lois les plus profondes de l'existence humaine. Et c'est pourquoi, sans doute, la balance de la grande justice nous paraît pencher plus volontiers du côté de l'ombre que de celui de la lumière. Mais s'il est peu probable qu'existe réellement «le bonheur dans le crime», le «malheur dans la vertu» existe-t-il plus fréquemment? Éliminons d'abord les souffrances physiques, celles du moins dont la source est cachée dans les forêts les plus obscures du hasard. Il va sans dire qu'une troupe de bourreaux eût pu étendre Spinoza sur un lit de tortures, et que rien n'empêche les maladies les plus douloureuses d'assaillir Antonin le Pieux aussi bien que Régane ou Goneril. Ceci n'est pas la part humaine, mais animale de la douleur. Observons cependant que la sagesse envoie la science, la plus jeune de ses soeurs, limiter chaque jour, dans les domaines du destin, la zone même de la douleur physique. Mais, malgré tout, il y aura toujours dans ces domaines un coin inabordable où la malaventure régnera. Il y aura toujours quelques victimes d'une injustice irréductible, et si celle-ci nous attriste, du moins nous apprend-elle à ajouter à une sagesse plus réelle, plus humaine et plus fière, ce que nous enlevons à une sagesse trop mystique.

Nous ne devenons véritablement justes que du jour où nous sommes réduits à chercher en nous seuls le modèle de la justice. Au reste, l'injustice du destin remet l'homme à sa place dans la nature. Il n'est pas salutaire qu'il regarde sans cesse autour de soi, comme un enfant qui cherche encore sa mère. Ne croyons pas que le découragement moral doive naître de ces déceptions. Une vérité, si décourageante qu'elle paraisse, transforme le courage de ceux qui savent l'accepter. En tout cas, une vérité décourageante, par cela seul qu'elle est une vérité, vaut toujours mieux que le plus beau mensonge qui encourage. Mais il n'est pas de vérité décourageante, il y a par contre des courages qui ne sont pas véritables. Ce qui ébranle les faibles, est ce qui raffermit les forts: «Je pense au jour de notre amour, écrivait une femme, où par une large fenêtre qui s'ouvrait sur la mer, nous regardions venir à l'horizon une multitude de barques blanches, qui toutes venaient docilement s'attacher au port que nous dominions … Ah! comme je revois ce jour!… Te rappelles-tu qu'une seule barque portait une voile presque noire, et que ce fut la dernière qui rentra au port? Te rappelles-tu aussi qu'il était l'heure de partir, cela nous était pénible, et nous avions pris comme signal du départ l'arrivée de la dernière barque? Dans ce hasard qui faisait la dernière barque sombre nous aurions pu trouver une cause de mélancolie. Mais comme des amants qui ont «admis» la vie, nous l'avons constaté en souriant et une fois de plus nous nous sommes reconnus.»

Oui, c'est ainsi qu'il faudrait faire dans l'existence. Il n'est pas toujours facile de sourire à l'arrivée des barques sombres, mais il est possible de trouver dans la vie quelque chose qui nous domine sans nous attrister, comme l'amour dominait sans l'attrister la femme qui parlait de la sorte. À mesure que la pensée et le coeur s'élargissent, ils parlent moins souvent d'injustice. Il est bon de se dire que dans ce monde tout est pour le mieux par rapport à nous, puisque nous sommes les fruits de ce monde. Une loi de l'univers qui nous semble cruelle doit être cependant plus conforme à notre être que toutes les lois meilleures que nous pourrions imaginer. Les temps sont probablement venus où l'homme doit apprendre à placer ailleurs qu'en lui-même le centre de son orgueil et de ses joies. Tandis que nos yeux s'ouvrent, nous nous sentons dominés par une force de plus en plus énorme, mais nous acquérons en même temps la certitude de plus en plus intime de faire partie de cette force; et même quand elle nous frappe, nous pouvons l'admirer comme Télémaque enfant admirait la force du bras paternel.

Accoutumons-nous peu à peu à considérer l'inconscience de la nature avec la même curiosité et le même étonnement satisfaits et attendris que nous avons parfois quand nous considérons les mouvements irrésistibles de notre propre inconscience. Qu'importe que nous promenions le petit flambeau de notre raison dans ce que nous appelons l'inconscience de l'univers ou la nôtre? L'une nous appartient aussi intimement que l'autre. «Après la conscience de notre pouvoir, dit Guyau un des plus hauts privilèges de l'homme, c'est de prendre conscience de son impuissance, du moins comme individu. De la disproportion même entre l'infini qui nous tue et ce rien que nous sommes, naît le sentiment d'une certaine grandeur en nous: nous aimons mieux être fracassés par une montagne que par un caillou; à la guerre, nous préférons succomber dans une lutte contre mille que contre un. L'intelligence, en nous montrant pour ainsi dire l'immensité de notre impuissance, nous ôte le regret de notre défaite.»

Qui sait? il y a déjà des moments où ce qui nous défait paraît nous toucher de plus près que la part de nous-même qui succombe. Rien ne change plus aisément de foyer que l'amour-propre, car un instinct nous avertit que rien ne nous appartient moins. L'amour-propre des courtisans qui entourent un roi très puissant, ne tarde pas à chercher un refuge plus splendide dans la toute-puissance de ce roi, et une humiliation qui descend sur leur tête du haut d'un trône redouté, brise en eux d'autant moins d'orgueil qu'elle tombe de plus haut. La nature, en devenant moins indifférente, ne nous paraîtrait plus assez vaste. Notre sentiment de l'infini a besoin de tout son infini, de toute son indifférence, pour se mouvoir à l'aise, et quelque chose dans notre âme aimera toujours mieux pleurer parfois dans un monde sans limite, que d'être constamment heureux dans un monde borné.

Si le destin était invariablement juste envers le sage, ce serait sans doute parfait par le fait même que cela serait; mais puisqu'il est indifférent, c'est mieux encore et peut-être plus grand; et en tout cas, cela restitue à l'univers l'importance que cela enlève aux actes de notre âme. Nous n'y perdons rien, puisque aucune grandeur, qu'elle soit dans la nature ou au fond de son coeur, ne se perd pour le sage. Pourquoi nous inquiéter ainsi de la situation de l'infini? Tout ce qui peut en appartenir à un être n'appartiendra jamais qu'à celui qui l'admire.

LXXVIII

Vous souvenez-vous du roman de Balzac intitulé: *Pierrette* dans la série des *Célibataires*? Ce n'est pas un des chefs-d'oeuvre de Balzac, il s'en faut; aussi n'est-ce pas à ce point de vue que j'en parle. On y voit une douce et innocente orpheline bretonne que sa mauvaise étoile arrache un jour à son grand-père et à sa grand'mère qui l'adorent, pour l'ensevelir au fond d'une ville de province dans la triste maison d'un oncle et d'une tante, M. Rogron, et sa soeur, Mlle Sylvie, merciers retirés des affaires, bourgeois ternes et durs, sottement vaniteux et avares, célibataires inquiets, mornes et instinctivement haineux.

À peine arrivée, le martyre de l'inoffensive et aimante Pierrette commence. Il s'y mêle de terribles questions d'argent: économies à réaliser, mariages à éviter, ambitions à satisfaire, successions à détourner, etc. Les voisins, les amis des Rogron, assistent paisiblement au long et lent supplice de la victime, et leur instinct sourit naturellement au succès des plus forts. Tout finit par la mort pitoyable de Pierrette, le triomphe des Rogron, de l'abominable avocat Vinet et de tous ceux qui les aidèrent. Plus rien ne vient troubler le bonheur des bourreaux. Le hasard même a l'air de les bénir, et Balzac, emporté malgré lui par la réalité des choses, termine, comme à regret, son récit, par cette phrase: «Convenons entre nous que la légalité serait pour les friponneries sociales une belle chose, si Dieu n'existait pas.»

Il n'est pas nécessaire d'aller chercher dans les romans des drames de ce genre. Ils ont lieu tous les jours dans un grand nombre de demeures. Aussi n'ai-je emprunté cet exemple à Balzac que parce que l'histoire quotidienne du triomphe de l'injustice s'y trouvait toute faite. Il n'est rien de plus moral que de pareils exemples, et peut-être la plupart des moralistes ont-ils tort d'en affaiblir le grand enseignement en essayant d'excuser comme ils peuvent les iniquités du destin. Les uns s'en remettent à Dieu du soin de récompenser l'innocence. Les autres nous diront que dans cette aventure ce n'est pas la victime qu'il faut plaindre le plus. Ils ont raison, sans doute, à plus d'un point de vue. La petite Pierrette persécutée et malheureuse a des bonheurs que ne connaissent pas ses bourreaux. Elle demeure aimante, tendre et douce dans ses larmes; et cela rend plus heureux que d'être dur, égoïste et haineux dans ses sourires. Il est triste d'aimer sans être aimé; mais il est bien plus triste encore de ne pas aimer du tout. Et comment comparer les satisfactions informes, les petits espoirs bas et étroits des Rogron, à la grande espérance de l'enfant qui attend dans son âme la fin de l'injustice? Rien ne nous dit que la pâle Pierrette soit plus intelligente que ceux qui l'environnent, mais celui qui souffre injustement se crée dans la souffrance un horizon qui s'étend, jusqu'à toucher par certains points aux jouissances d'un esprit supérieur, comme l'horizon de la terre, alors même qu'on ne se trouve pas au sommet d'une montagne, semble parfois toucher les pieds du ciel. L'injustice que nous commettons ne tarde pas à nous réduire aux petits plaisirs matériels, et à mesure que nous jouissons de ceux-ci, nous envions à notre victime la faculté de jouir de plus en plus vivement de tout ce que nous ne pouvons lui enlever, de tout ce que nous ne pouvons atteindre, de tout ce qui ne touche pas directement à la matière. Un acte d'injustice ouvre toute grande à la victime la porte même que le bourreau referme sur son âme à lui; et l'homme qui souffre alors respire un air plus pur que l'homme qui fait souffrir. Il fait cent fois plus clair au fond du coeur de ceux qui sont persécutés qu'au fond du coeur de ceux qui persécutent. Et toute la santé du bonheur ne dépend-elle pas d'une certaine clarté que nous avons en nous? — L'être humain qui apporte la douleur éteint en lui plus de bonheur qu'il n'en peut éteindre en celui qu'il accable.

Qui de nous — s'il nous fallait choisir — n'aimerait mieux se trouver à la place de Pierrette qu'à la place des Rogron? Notre instinct du bonheur n'ignore pas qu'il est impossible que celui qui a raison moralement ne soit pas plus heureux que celui qui a tort, alors même qu'il aurait tort du haut d'un trône. Il est vrai que les Rogron ne savent peut-être pas leur injustice. Peu importe, on ne respire pas plus largement dans l'inconscience que dans la conscience du mal. Au contraire: celui qui sait qu'il fait le mal a parfois le désir de s'évader de sa prison; l'autre y meurt, sans même avoir joui par la pensée de tout ce qui entoure les murs qui lui cachent tristement la véritable destinée de l'homme.

LXXIX

À quoi bon chercher la justice où elle ne peut être? Existe-t-elle ailleurs que dans notre âme? La langue qu'elle parle semble la langue naturelle de l'esprit humain; mais du moment que celui-ci veut voyager dans l'univers, il faut qu'il apprenne d'autres mots. Il n'y a pas d'idée à laquelle l'univers songe moins qu'à celle de la justice. Il ne s'occupe que d'équilibre, et ce que nous appelons justice n'est qu'une transformation humaine des lois de l'équilibre, de même que le miel n'est qu'une transformation des sucs qui se trouvent dans les fleurs. Hors de l'homme il n'y a pas de justice; mais dans l'homme il ne se commet jamais d'injustice. Le corps peut jouir de plaisirs mal acquis, mais l'âme ne connaît d'autres satisfactions que celles que sa vertu a méritées. Notre bonheur intérieur est pesé par un juge que rien ne peut corrompre; car essayer de le corrompre, c'est encore enlever quelque chose aux derniers bonheurs véritables qu'il allait déposer dans le plateau lumineux de la balance. Il est évidemment navrant que l'on puisse opprimer, comme le firent les Rogron, un être inoffensif, et qu'il soit possible d'assombrir ainsi les quelques années d'existence que le hasard des mondes lui départit sur cette terre. Mais il ne faudrait parler d'injustice que si l'acte des Rogron leur procurait une félicité intérieure, une paix, une élévation de pensée et d'habitude, analogues à celles que la vertu, la méditation et l'amour procurèrent à Spinoza ou bien à Marc-Aurèle. On peut éprouver, il est vrai, une certaine satisfaction intellectuelle à faire le mal. Mais le mal que l'on fait restreint nécessairement la pensée et la borne à des choses personnelles et éphémères. En commettant une action injuste nous montrons que nous n'avons pas encore atteint le bonheur que l'homme peut atteindre. Dans le mal même, c'est, en dernière analyse, une certaine paix, un certain épanouissement de son être que le méchant recherche. Il peut se croire heureux dans l'épanouissement qu'il y trouve; mais Marc-Aurèle, qui a connu l'autre épanouissement, l'autre tranquillité, y serait-il heureux? Un enfant qui n'a pas vu la mer: on le mène sur la rive d'un grand lac; il s'imagine voir la mer, il bat des mains, il n'en demande pas davantage; mais la mer véritable en existe-t-elle moins?

A-t-il aux yeux de ceux qui virent autre chose, un bonheur qu'il ne mérite pas, celui dont le bonheur dépend des mille petites victoires que l'envie, la vanité, l'indifférence doivent remporter chaque jour?

Désirez-vous sa conscience de vivre, la religion qui suffit à son âme, l'idée de l'univers que supposent ces soucis? Pourtant, n'est-ce point tout cela qui forme le lit plus ou moins large et plus ou moins profond où coule le bonheur? Il croit peut-être les mêmes choses que le sage: qu'il y a un Dieu, ou qu'il n'y en a pas, que tout finit à cette vie ou que tout se prolonge dans l'autre, qu'il n'y a que la matière, qu'il n'y a que l'esprit; mais pensez-vous qu'il les croie de la même façon? Le bonheur que nous puisons en ce que nous croyons, c'est-à-dire, la certitude de la vie, la paix et la confiance de l'existence intérieure, l'assentiment non pas résigné, mais actif, interrogateur et filial aux lois de la nature, ne dépend-il pas plus de la manière dont on croit que de ce que l'on croit? Je puis croire d'une manière religieuse et infinie qu'il n'y a pas de Dieu, que mon apparition n'a pas de but hors d'elle-même, que l'existence de mon âme n'est pas plus nécessaire à l'économie de ce monde sans limites que les nuances éphémères d'une fleur; vous pouvez croire petitement qu'un Dieu unique et tout-puissant vous aime et vous protège; je serai plus heureux et plus calme que vous, si mon incertitude est plus grande, plus grave et plus noble que votre foi, si elle a interrogé plus intimement mon âme, si elle a fait le tour d'un horizon plus étendu, si elle a aimé plus de choses. Le Dieu auquel je ne crois pas deviendra plus puissant et plus consolateur que celui auquel vous croyez, si j'ai mérité que mon doute repose sur des pensées et sur des sentiments plus vastes et plus purs que ceux qui animent votre certitude. Encore une fois, croire, ne pas croire, cela n'a guère d'importance; ce qui en a, c'est la loyauté, l'étendue, le désintéressement et la profondeur des raisons pour lesquelles on croit ou pour lesquelles on ne croit point.

LXXX

On ne choisit pas ces raisons, on les mérite comme des récompenses. Celles que nous choisissons ne sont que des esclaves achetées par hasard, elles semblent vivre à peine, ne s'attachent à rien, n'attendent qu'une occasion de fuir. Mais celles que nous avons méritées encouragent nos pas comme des Antigones pensives et fidèles. On ne fait point entrer ces raisons dans une âme; il faut qu'elles y aient vécu bien longtemps, il faut qu'elles y aient passé leur enfance, qu'elles s'y soient nourries de toutes nos pensées, de toutes nos actions, il faut qu'elles y retrouvent les mille souvenirs d'une vie de sincérité et d'amour. À mesure que grandissent ces raisons, à mesure que s'étend l'horizon de notre âme, s'étend pareillement l'horizon du bonheur; car l'espace qu'occupent nos sentiments et nos pensées est le seul dans lequel puisse se mouvoir notre bonheur. Notre bonheur n'a guère besoin d'espace matériel, mais l'étendue morale qui s'ouvre devant lui n'est jamais assez grande. Il faut toujours tâcher à l'agrandir, jusqu'à ce qu'arrive le moment où notre bonheur ne demande plus d'autre nourriture que l'espace même qu'il découvre en s'élevant. Alors l'homme commence à être heureux dans la partie vraiment humaine et inexpugnable de son être, et tous les autres bonheurs ne sont, au fond, que des fragments encore inconscients de ce bonheur qui médite, regarde et n'aperçoit plus de limite en soi-même, ni dans ce qui l'entoure.

LXXXI

Cet espace se restreint tous les jours dans le mal, parce que forcément les pensées et les sentiments s'y restreignent. Mais l'homme qui s'est élevé quelque peu ne fait plus le mal, parce qu'il n'est aucun mal qui ne naisse, en dernière analyse, d'une pensée étroite ou d'un sentiment médiocre. Il ne fait plus le mal parce que ses pensées sont devenues plus hautes et plus pures et ses pensées deviennent plus pures encore de ce qu'il ne peut plus faire le mal. Ainsi, nos actions et nos pensées, en conquérant le ciel paisible où la vie de notre âme peut s'étendre sans trouble, sont aussi inséparables que les deux ailes de l'oiseau; et ce qui pour l'oiseau n'est encore qu'une loi de l'équilibre, devient ici une loi de la justice.

LXXXII

Qui nous dira si la sorte de satisfaction misérable que le méchant semble trouver, par moment, dans le mal, devient sensible à l'âme avant qu'il ne s'y mêle un désir faible et vague, une promesse ou une possibilité lointaine de bonté ou de miséricorde?

Peut-être le méchant qui vient de réduire à merci sa victime n'aperçoit-il un côté moins sombre et moins inutile dans sa joie qu'à l'instant où il songe qu'il pourrait pardonner. On dirait que la méchanceté doit emprunter parfois un rayon de lumière à la bonté afin d'éclairer son triomphe. Est-il possible à l'homme de sourire dans la haine sans chercher son sourire dans l'amour? Mais ce sourire sera bien éphémère. Ici, pas plus qu'ailleurs, il n'y a d'injustice intérieure. On peut dire qu'il n'y a pas une âme où l'échelle du bonheur ne porte exactement les mêmes marques que celles de la justice ou de la charité. Je confonds ici les deux mots, car la charité ou l'amour est la justice qui n'a plus à compter que des pierres précieuses. L'homme qui va glaner son bonheur dans le mal affirme par là même qu'il n'est pas aussi heureux que celui qui lui voit faire le mal et qui le désapprouve. Il a cependant le même but que le juste. Il cherche le bonheur, je ne sais quelle paix ou quelle certitude. À quoi bon le punir? On n'en veut pas au pauvre qui n'habite pas un palais; il est assez malheureux de n'avoir qu'une cabane pour demeure. Aux yeux d'un être qui verrait l'invisible, l'âme de l'homme le plus injuste aurait toujours les attributs, les vêtements immaculés et l'activité sainte de la Justice. Il la verrait peser la paix, l'amour, la conscience de vivre, les sourires de la terre ou du ciel, et ce qui les annule, les rabaisse ou les empoisonne, avec le même soin qu'y apporte l'âme du saint, du héros, du penseur. Peut-être n'avons-nous pas tort de nous préoccuper de justice au sein d'un univers qui ne s'en préoccupe point, pas plus que l'abeille n'a tort de faire du miel au sein d'un monde qui n'en produit pas par lui-même. Mais nous avons tort de vouloir une justice extérieure puisqu'il n'y en a point. Celle qui est en nous doit nous suffire. Tout se pèse et se juge sans cesse en notre être. Nous nous jugeons nous-mêmes; ou plutôt notre bonheur nous juge.

LXXXIII

On dira peut-être que le bien a ses défaites et ses déceptions, comme le mal; mais les défaites et les déceptions du bien, au lieu d'assombrir et de chagriner la pensée, l'éclairent et la tranquillisent. Un acte de vertu peut tomber dans le vide; mais c'est surtout alors qu'il nous apprend à mesurer les profondeurs de l'âme et de la vie. Il y tombe souvent comme une pierre plus lumineuse que nos pensées. Quand une combinaison méchante de Mme Rogron échoue devant l'innocence de Pierrette, son âme se rétrécit encore davantage; mais quand une des bontés de Titus descend sur un ingrat, l'inutilité du pardon, l'inutilité de l'amour, lui apprend à porter ses regards au delà du pardon, au delà de l'amour. Il n'est pas désirable que l'homme s'enferme en quelque chose, fût-ce dans le bien même. Que le dernier geste de la vertu soit toujours le geste d'un ange qui entr'ouvre une porte.

Il faudrait bénir ces défaites. Si le hasard voulait qu'à chaque fois que nous pardonnons, notre ennemi devînt notre frère, nous mourrions sans savoir ce qu'éclaire en nous une clémence imprudente qu'on ne regrette pas. Nous mourrions sans avoir eu l'occasion de mesurer les forces qui entourent notre vie, à l'aide de la force la plus grande qui se trouve dans notre âme. L'inutilité d'un acte de bonté, l'inefficacité apparente d'une pensée élevée ou simplement loyale, jette sur une foule de choses un rayon d'une autre nature que celui qu'y pourrait projeter toute l'utilité du bien. Certes, il y aurait une grande joie à constater le triomphe invariable de l'amour; mais il y a une joie plus grande encore à aller au travers de cette illusion jusqu'à la vérité. «L'homme, a dit un penseur que la mort nous enleva trop tôt, l'homme a trop souvent, tout le long de l'histoire, placé sa dignité dans les erreurs, et la vérité lui a paru d'abord une diminution de lui-même. La vérité ne vaut pas toujours le rêve, mais elle a cela pour elle qu'elle est vraie. Dans le domaine de la pensée il n'y a rien de plus moral que la vérité.»

Et cette vérité n'a rien d'amer, aucune vérité n'est amère pour le sage. Il a pu désirer lui aussi que la vertu transportât des montagnes et qu'un acte d'amour adoucît à jamais l'âme de tous ses frères. Mais aujourd'hui, il apprend à préférer qu'il n'en soit pas ainsi. Et ce n'est pas pour les satisfactions qu'y cueille son orgueil. Il ne se juge pas meilleur que l'univers, mais il s'y croit moins important. Il ne cultive plus la passion de justice qu'il trouve dans son âme pour les fruits spirituels qu'elle rapporte, mais par respect pour tout ce qui existe, et pour les fleurs inattendues qu'elle fait naître en son intelligence. Il ne maudit pas l'ingrat, il ne maudit même pas l'ingratitude; il ne se dit pas: «Je suis meilleur que cet homme», ou «Je ne tomberai pas dans ce vice.» Mais l'ingratitude lui apprend qu'il y a dans le bienfait des joies plus spacieuses, moins personnelles et plus conformes à la vie générale que celles qu'il attendait de la reconnaissance. Il aime mieux essayer de comprendre ce qui est, que de s'efforcer de croire ce qu'il désire. Il a vécu longtemps comme le pauvre transporté brusquement du fond de sa cabane dans un palais immense. À son réveil, il cherchait avec inquiétude, dans les salles trop vastes, les misérables souvenirs de son étroite chambre. Où donc étaient l'âtre et le lit, la table, l'écuelle et l'escabeau? Il retrouva, tremblant encore à ses côtés, l'humble flambeau de ses veillées, mais sa lueur n'atteignait pas les hautes voûtes; et seul, le pilier le plus proche semblait chanceler par moments dans les battements impuissants des petites ailes de la lumière. Mais peu à peu ses yeux s'accoutumèrent à la nouvelle demeure. Il parcourut les salles innombrables, et il se réjouit de tout ce que le flambeau n'éclairait point, aussi profondément que de tout ce qu'il éclairait. Il eût voulu d'abord des portes un peu plus basses, des escaliers moins larges, des galeries où ne se perdissent pas les regards. Mais à mesure qu'il marchait, il comprenait la beauté et la grandeur de ce qui n'était pas d'accord avec ses rêves. Il fut heureux de constater que tout ne tournait pas, comme dans sa cabane, autour de la table et du lit. Il se félicita que le palais n'eût pas été bâti à la taille des médiocres habitudes de sa misère. Il sut admirer ce qui contredisait son désir, en élargissant sa vision. Tout ce qui existe console et raffermit le sage, car la sagesse consiste à rechercher et à admettre tout ce qui existe.

LXXXIV

Elle admet même les Rogron. Elle s'intéresse à la vie plus encore qu'à la justice ou à la vertu, et s'il arrive qu'une grande vertu trop abstraite se trouve en présence d'une vie qui ne s'agite qu'entre d'étroites murailles, elle aimera mieux pencher son attention sur la petite vie que sur la grande vertu immobile, orgueilleuse et solitaire.

Surtout, elle ne méprise rien; il n'y a qu'une chose au monde qui est tout à fait méprisable et c'est le mépris même. Trop souvent ceux qui pensent sont enclins à mépriser ceux qui passent dans la vie sans penser. Certes, la pensée a une grande importance, et il faut tâcher avant tout de penser autant que possible et du mieux possible; mais il y a quelque exagération à croire qu'un peu plus ou un peu moins d'aptitude à manier un certain nombre d'idées générales mette une barrière définitive entre deux hommes. À tout prendre, entre le plus grand des penseurs et le petit bourgeois de province, il n'y a bien souvent que la différence d'une vérité qui trouve par moment sa formule, à une vérité qui ne se formule jamais d'une manière appréciable. C'est beaucoup; c'est un fossé profond, ce n'est pas un abîme. Plus la pensée s'élève, plus lui paraît arbitraire et fugitive la limite entre ce qui ne pense pas encore et ce qui pense toujours. Le petit bourgeois est plein de préjugés, de passions qui semblent ridicules, d'idées étroites, mesquines et souvent assez basses; cependant, mettez-le à côté du sage dans les circonstances essentielles de la vie; devant la douleur, devant la mort, devant l'amour, devant l'héroïsme réel, il arrivera plus d'une fois que le sage se tournera vers son humble compagnon, comme vers le dépositaire d'une vérité aussi humaine, aussi sûre que la sienne.

Il y a des moments où le sage reconnaît la vanité de ses trésors spirituels; où il s'aperçoit que quelques habitudes, quelques mots, à peine le séparent des autres hommes, et où il doute de la valeur de ces mots. Ce sont les moments les plus féconds de la sagesse. Penser, c'est souvent se tromper, et le penseur qui s'égare a fréquemment besoin, pour retrouver sa route, de revenir au lieu où sont restés fidèlement assis, autour d'une vérité silencieuse mais nécessaire, ceux qui ne pensent guère. Ils gardent le foyer de la tribu; les autres en promènent les torches, et quand la torche se met à vaciller dans un air raréfié, il est prudent de se rapprocher du foyer. On croirait qu'il ne change pas de place, ce foyer, c'est qu'il avance en même temps que les mondes, et sa petite flamme marque l'heure réelle de l'humanité. On sait exactement ce que la force inerte doit au penseur, mais on ne tient pas compte de ce que le penseur doit à la force d'inertie. Un monde où il n'y aurait que des penseurs perdrait peut-être la notion de plus d'une vérité indispensable. En réalité, le penseur ne continue de penser juste que s'il ne perd jamais contact avec ceux qui ne pensent pas.

Il est facile de dédaigner; il est moins aisé de comprendre; et pourtant, pour le sage véritable, il n'est pas un dédain qui ne finisse tôt ou tard par se changer en compréhension. Toute pensée qui passe avec dédain au-dessus du grand groupe muet, toute pensée qui ne reconnaît pas mille soeurs, mille frères endormis dans ce groupe, n'est trop souvent qu'un rêve néfaste ou stérile. Il est bon de se rappeler parfois que dans l'atmosphère spirituelle, comme dans l'atmosphère extérieure, il faut, sans doute, bien plus d'azote que d'oxygène pour qu'elle demeure respirable.

LXXXV

Je comprends que des penseurs comme Balzac se soient plus à décrire des petites vies de ce genre. Rien n'est plus éternellement semblable à elles-mêmes que ces petites vies; et, cependant, de siècle en siècle, rien ne change plus profondément que l'atmosphère où elles baignent. Gestes identiques sous des cieux différents, mais cieux qu'on ne verrait pas différents si les gestes n'étaient pas identiques. Un grand acte héroïque absorbe notre regard en l'acte même; mais des paroles et des mouvements insignifiants appellent notre attention sur l'horizon qui les entoure, et le point lumineux de la sagesse humaine ne se trouve-t-il pas toujours à l'horizon? À voir les choses selon le sentiment et la raison de la nature, la médiocrité générale de ces vies ne saurait être vraiment médiocre, par cela même qu'elle est si générale.

Au reste, il est bien inutile d'insister sur ceci: on ne connaît jamais une âme que jusqu'à la hauteur où l'on est arrivé à connaître la sienne; et il n'est pas un être, si petit qu'il paraisse d'abord, qui n'émerge de l'ombre, à mesure que l'ombre où nous sommes diminue. Ce n'est pas ce qu'on voit qu'il est nécessaire d'agrandir pour l'aimer; c est ce qu'on n'aime pas qu'il est nécessaire d'éclairer en élevant la flamme jusqu'à ce qu'elle parvienne au niveau de l'amour. Qu'un rayon sorte chaque jour de notre âme, c'est tout ce que nous devons souhaiter. Il ira se poser n'importe où. Il n'est pas un objet sur lequel viennent s'abattre un regard, une pensée, qui ne contienne plus de trésors qu'ils n'en pourront illuminer; il n'est si petite chose en ce monde qui ne soit bien plus vaste que toute la clarté qu'une âme peut lui prêter.

LXXXVI

N'est-ce pas dans les destinées ordinaires que se trouve, dégagé d'une foule de détails qui énervent l'attention, l'essentiel des destinées humaines? Une grande lutte morale sur les hauteurs, c'est un très beau spectacle; un observateur attentif admirera longtemps un arbre prodigieux sur un plateau désert, mais au bout de sa contemplation, il rentrera dans la forêt où les arbres ne sont pas merveilleux mais innombrables. Il est probable que l'immense forêt n'est faite que de troncs et de branches médiocres, mais n'est-elle pas profonde, et n'a-t-elle pas raison, puisqu'elle est la forêt? Le dernier mot n appartiendra jamais à l'exceptionnel, et ce qu'on appelle le sublime ne devrait être qu'une conscience plus lucide et plus pénétrante de ce qu'il y a de plus normal. Il est salutaire de regarder souvent ceux qui combattent sur les sommets; mais il est nécessaire aussi de ne pas oublier ceux qui semblent dormir dans la plaine.

En voyant ce qui arrive à ceux qui sommeillent ainsi, en voyant combien il faut avoir lutté soi-même pour distinguer leur bonheur plus étroit du bonheur de ceux qui combattent à l'écart, on attache peut-être un peu moins d'importance à la lutte, mais on l'aime davantage. Plus la récompense est discrète, plus elle est désirable; non qu'on aime à jouir en secret, comme un courtisan peu loyal, des faveurs du bonheur, mais les joies qu'il nous accorde ainsi, sans l'annoncer aux autres, sont peut-être les seules qu'il n'ait pas dérobées à la part de nos frères. Alors on ne regarde plus ces derniers pour se dire: «Combien je suis loin de ces hommes» mais on peut s'avouer enfin avec simplicité: «À mesure que je m'élève, il me semble que je m'éloigne moins de mes compagnons les plus nombreux et les plus humbles, et je compte les pas que je fais vers un idéal incertain, aux pas qui me rapprochent de ceux que j'avais méprisés, dans l'ignorance et dans la vanité des premiers jours.»

LXXXVII

Au fond, qu'est-ce qu'une petite vie? Nous appelons ainsi une vie qui s'ignore, une vie qui s'épuise sur place entre quatre ou cinq personnages, une vie dont les sentiments, les pensées, les passions, les désirs s'attachent à des objets insignifiants. Mais pour celui qui la regarde, par le fait même qu'il la regarde, toute vie devient grande. Une vie n'est ni grande ni petite en elle-même, elle est regardée plus ou moins grandement, voilà tout; et une existence qui semble haute et vaste à tous les hommes est une existence qui a pris l'habitude de jeter sur elle-même un regard étendu. Si vous ne vous regardez jamais vivre, vous vivrez nécessairement à l'étroit; mais celui qui vous regarde vivre ainsi, trouvera, dans la médiocrité même de l'angle où vous vous agitez, une sorte d'élément d'horizon, un point d'appui plus ferme, d'où sa pensée s'élèvera avec une force plus humaine et plus sûre.

On croit au premier abord, qu'il n'y a tout autour de nous qu'existences engourdies, fermées et monotones, et que rien ne relie à notre âme, à un sentiment permanent, à un intérêt éternel, à une humanité inépuisable, la vie d'une vieille fille, d'un magistrat à l'intelligence rétrécie, d'un avare prisonnier de son or. Mais que quelqu'un s'avance au milieu d'elles, l'oeil ouvert et l'oreille tendue, comme Balzac par exemple, et le sentiment né dans un pauvre salon de province s'étendra aussi loin, agitera toute la vie humaine jusqu'en des sources aussi profondes, aussi puissantes, que l'auguste passion qui dans l'histoire d'un grand roi rayonne du haut d'un trône. «Il y a telles petites tempêtes, dit à ce propos Balzac, dans la plus admirable de ses histoires des humbles, *le Curé de Tours*, il y a telles petites tempêtes qui développent dans les âmes autant de passions qu'il en aurait fallu pour diriger les plus grands intérêts sociaux. N'est-ce pas une erreur de croire que le temps ne soit rapide que pour les coeurs en proie aux vastes projets qui troublent la vie et la font bouillonner? Les heures de l'abbé Troubert coulaient aussi animées, s'enfuyaient chargées de pensées aussi soucieuses, étaient ridées par des espérances et des désespoirs aussi profonds que pouvaient l'être les heures cruelles de l'ambitieux, du joueur et de l'amant. Dieu seul est dans le secret de l'énergie que nous coûtent les triomphes actuellement remportés sur les hommes, sur les choses, et sur nous-mêmes. Si nous ne savons pas toujours où nous allons, nous connaissons bien les fatigues du voyage. Seulement, s'il est permis à l'historien de quitter le drame qu'il raconte pour prendre pendant un moment le rôle des critiques, s'il vous convie à jeter un coup d'oeil sur les existences de ces vieilles filles et des deux abbés, afin d'y chercher la cause du malheur qui les viciait dans leur essence, il vous sera peut-être démontré qu'il est nécessaire à l'homme d'éprouver certaines passions pour développer en lui des qualités qui donnent à sa vie de la noblesse, en étendent le cercle, et assoupissent l'égoïsme naturel à toutes les créatures.»

Il dit vrai. Il ne faut pas toujours aimer la lumière pour elle-même, mais pour ce qu'elle éclaire. Un grand feu sur les cimes, c'est parfait, mais il y a peu d'hommes sur les cimes, et une petite flamme au milieu d'une foule fera souvent besogne plus utile. Au reste, c'est dans les petites vies que les grandes voient le mieux leur substance, et c'est en regardant des sentiments étroits qu'on finit par élargir les siens. Non que les sentiments étroits prennent un aspect répugnant, mais ils paraissent de moins en moins en harmonie avec la grandeur de la vérité qui nous pénètre. Il est permis de rêver une vie meilleure que la vie ordinaire, mais il n'est pas permis, je pense, d'édifier ce rêve avec des éléments qui ne se trouvent pas dans l'existence quotidienne. On prétend qu'il est bon de regarder plus haut que la vie; mais peut-être est-il meilleur encore d'accoutumer son âme à regarder droit devant elle, et à ne compter, pour y poser enfin ses désirs et ses songes, sur d'autres sommets que ceux qui se distinguent nettement des nuages qui illuminent l'horizon.

LXXXVIII

Tout ceci nous ramène au point que nous avons quitté depuis longtemps. Nous nous étions arrêtés au destin extérieur, mais il est d'autres larmes que celles qu'arrachent à nos yeux les douleurs du dehors. Le sage que nous aimons doit vivre au milieu de toutes les passions humaines; car les passions de notre coeur sont les seuls aliments dont la sagesse puisse longtemps se nourrir sans danger. Nos passions, ce sont les ouvriers que la nature nous envoie pour nous aider à construire le palais de notre conscience, c'est-à-dire de notre bonheur; et l'homme qui n'admet pas ces ouvriers et croit pouvoir soulever seul toutes les pierres de l'existence n'aura jamais pour abriter son âme qu'une cellule étroite, froide et nue.

Être sage, ce n'est point n'avoir pas de passions; mais c'est apprendre à purifier celles qu'on a. Tout dépend de la position que l'on prend sur l'escalier des jours. Pour l'un, les défaillances et les infirmités morales sont des marches qu'on descend; pour l'autre elles représentent des degrés que l'on monte. Il se peut que le sage fasse encore bien des choses que fait celui qui n'est pas sage; mais les passions de celui-ci l'enfoncent davantage dans l'instinct; au lieu que celles du sage finissent toujours par éclairer un coin perdu de sa conscience. Il ne faut pas qu'il aime comme un fou, par exemple; mais s'il aime comme un fou, il deviendra probablement plus sage que s'il n'eût jamais aimé que sagement. Ce n'est pas la sagesse, mais l'orgueil sous sa forme la plus inutile qui prospère dans l'immobilité et dans le vide. Il ne suffit pas de savoir ce qu'il faut faire, ou de prévoir avec certitude ce que les héros auraient fait. Cela peut s'apprendre extérieurement en quelques heures. Il ne suffit pas d'avoir l'intention de vivre noblement et de se retirer ensuite dans sa cellule pour y cultiver cette intention. La sagesse que vous aurez acquise de la sorte ne sera pas plus capable de diriger ou d'embellir réellement votre âme que les conseils d'autrui ne sont capables de la diriger ou de l'embellir. «Il faut, dit un proverbe hindou, chercher la fleur qui doit s'épanouir dans le silence qui suit l'orage, pas avant.»

LXXXIX

Plus on avance de bonne foi dans les sentiers de l'existence, plus on croit à la vérité, à la beauté et à la profondeur des lois les plus humbles et les plus quotidiennes de la vie. On apprend à les admirer justement parce qu'elles sont si générales, si uniformes, si quotidiennes. On cherche et on attend de moins en moins l'extraordinaire: car on ne tarde pas à reconnaître que ce qu'il y a de plus extraordinaire dans le vaste mouvement paisible et monotone de la nature, ce sont les exigences enfantines de notre ignorance et de notre vanité. On ne demande plus aux heures qui passent des événements étranges et merveilleux, car les événements merveilleux n'arrivent qu'à ceux qui n'ont pas encore confiance en eux-mêmes ou dans la vie. On n'attend plus, les bras croisés, l'occasion d'un acte surhumain, car on sent qu'on existe dans tous les actes humains. On ne demande plus que l'amour, l'amitié et la mort se présentent à nous, parés d'ornements imaginaires, entourés de coïncidences et de présages prodigieux, on sait les accueillir dans leur simplicité et dans leur nudité réelles. On se convainc enfin qu'on peut trouver l'équivalent de l'héroïsme et de tout ce qui constitue aux yeux des faibles, des inconscients et des inquiets, le sublime et l'exceptionnel, dans l'existence bravement et complètement acceptée. On ne se croit plus le fils unique et préféré de l'univers; mais on augmente sa conscience, on éclaire son sourire et sa sérénité de tout ce qu'on enlève à son orgueil.

Quand nous sommes arrivés à ce point, les aventures miraculeuses d'une sainte Thérèse ou d'un Jean de la Croix, l'extase des mystiques, les incidents surnaturels des amours légendaires, l'étoile d'un Alexandre ou d'un Napoléon, nous paraissent de bien puériles illusions, comparés à la bonne et saine loyauté d'une sagesse humaine et sincère, qui ne songe pas à s'élever au-dessus des hommes pour éprouver ce qu'ils n'éprouvent pas, mais sait trouver dans ce que tous éprouveront toujours, ce qui est nécessaire pour élargir le coeur et la pensée. Ce n'est pas en voulant être autre chose qu'un homme qu'on devient un homme véritable. Que d'êtres usent ainsi leur vie à attendre l'apparition d'une comète invraisemblable, qui ne songent jamais à regarder les autres astres parce qu'ils sont vus de tous et qu'ils sont innombrables! Le désir de l'extraordinaire est souvent le grand mal des âmes ordinaires. Il faudrait se dire, au contraire, que plus ce qui nous arrive nous paraît normal, général, uniforme, plus nous parvenons à discerner et à aimer les profondeurs et les joies de la vie dans cette généralité même, plus nous nous rapprochons de la tranquillité et de la vérité de la grande force qui nous anime. Il n'est rien de moins extraordinaire que l'océan, par exemple, puisqu'il couvre les deux tiers de notre globe; et pourtant il n'est rien de plus vaste. Il n'y a pas dans l'homme, une pensée, un sentiment, un acte de beauté ou de grandeur qui ne puisse s'affirmer dans la simplicité de l'existence la plus normale; et tout ce qui n'y peut trouver place appartient encore aux mensonges de la paresse, de l'ignorance ou de la vanité.

XC

Est-ce à dire que le sage ne doit attendre de la vie rien de plus que les autres hommes, qu'il faut aimer la médiocrité, se contenter de peu, limiter ses désirs et borner son bonheur de peur de ne pas être heureux? Au contraire, la sagesse qui renonce trop facilement à quelque espoir humain est maladive et boiteuse. L'homme a plus d'un désir légitime qui se passe fort bien de l'approbation d'une raison trop sévère. Mais il ne faut pas se croire malheureux tant qu'on ne possède qu'un bonheur qui ne semble pas extraordinaire à ceux qui nous entourent. Plus on est sage, moins on a de peine à se persuader qu'on possède un bonheur. Il est bon de se convaincre que ce qu'il y a de plus enviable en un bonheur humain ce sont ses moments les plus simples. Le sage apprend à animer et à aimer la substance silencieuse de la vie. Il n'y a de joie fidèle qu'en cette substance silencieuse, et ce ne sont jamais les bonheurs extraordinaires qui osent accompagner nos pas jusqu'au tombeau.

Il importe d'accueillir et d'embrasser aussi fraternellement que les autres le jour qui s'approche et s'éloigne sans faire un geste inaccoutumé de joie ou d'espérance. Il a parcouru, pour venir jusqu'à nous, les mêmes espaces et les mêmes univers que le jour qui nous trouve sur un trône ou dans le lit d'un grand amour. Peut-être cache-t-il sous son manteau des heures moins éclatantes, mais plus humblement dévouées. On compte le même nombre de minutes éternelles dans une semaine qui passe sans rien dire que dans celle qui s'avance en poussant de longs cris. Au fond, tout ce qu'une heure semble nous dire, c'est nous-mêmes qui nous le disons. L'heure est une voyageuse hésitante et timide, qui se réjouit ou s'attriste selon le sourire ou l'oeil morne de l'hôte qui l'accueille. Ce n'est pas elle qui doit nous apporter notre bonheur; c'est nous qui sommes chargés de rendre heureuse l'heure qui vient chercher un refuge dans notre âme. Il est sage celui qui a toujours quelque chose de paisible à lui dire sur le seuil. Il faut accumuler en soi les causes de bonheur les plus simples. C'est pourquoi, ne négligeons aucune occasion d'être heureux. Tâchons d'éprouver d'abord le bonheur selon les hommes, pour lui préférer ensuite, en connaissance de cause, le bonheur selon nous-mêmes. Il en est de ceci comme de l'amour. Il faut avoir aimé profondément pour savoir de quelle manière il faudrait qu'on aimât alors qu'on n'aime plus. Il est bon d'être heureux par moments d'une manière visible, pour apprendre à être heureux d'une manière invisible; et peut-être n'est-il nécessaire de prêter l'oreille aux heures qui parlent haut dans leur ivresse, que pour apprendre peu à peu le langage de celles qui ne parlent jamais qu'à voix basse. Elles seules sont nombreuses, inépuisables, incapables de trahir ou de fuir à cause de leur nombre, et le sage ne devrait compter que sur elles. Être heureux, c'est s'exercer à voir le sourire caché et les ornements mystérieux des heures incalculables et anonymes, et ces ornements ne se trouvent qu'en nous.

XCI

Mais rien ne serait plus opposé à la sagesse dont nous parlons ici qu'une prudence basse, et mieux vaudrait encore s'agiter inutilement autour d'un bonheur quelconque, que d'attendre en dormant au coin du feu un bonheur idéal qui ne viendra jamais. Sur le toit de celui qui ne sort pas de sa maison, ne descendent d'habitude que les joies dont personne n'a voulu. Aussi, n'appelons-nous pas sage celui qui, dans le domaine des sentiments, par exemple, ne va pas infiniment au delà de ce que la raison lui permet, ou de ce que l'expérience lui conseille d'attendre. Aussi, n'appelons-nous pas sage l'ami qui ne se livre point à son ami parce qu'il prévoit la fin de l'amitié, ou l'amant qui ne se donne pas tout entier, de peur de s'anéantir dans l'amour.

Il faut se dire qu'ici, vingt aventures malheureuses n'enlèvent que les parties périssables de notre énergie du bonheur, et l'on peut s'avouer que toute sagesse n'est, en somme, qu'une sorte d'énergie purifiée du bonheur. Être sage, c'est avant tout apprendre à être heureux, pour apprendre en même temps à attacher une importance de moins en moins grande à ce que le bonheur est en soi. Il importe que l'homme soit, aussi longtemps que possible, aussi heureux que possible; car ceux qui sortent enfin d'eux-mêmes par la porte du bonheur sont mille fois plus libres que ceux qui sortent par celle de la tristesse. La joie du sage éclaire en même temps son coeur et toute son âme, au lieu que la tristesse n'éclaire bien souvent que le coeur. L'homme qui n'a pas été heureux ressemble un peu au voyageur qui n'aurait jamais voyagé que de nuit.

Et puis, on trouve dans le bonheur une humilité plus profonde et plus noble, plus pure et bien plus étendue que celle qu'on trouve dans le malheur. Il y a une humilité que l'on doit mettre au nombre des vertus parasites, avec l'abnégation stérile, la pudeur, la chasteté arbitraire, le renoncement aveugle, la soumission obscure, l'esprit de pénitence et tant d'autres, qui détournèrent si longtemps au profit d'un étang endormi, autour duquel tous nos souvenirs errent encore, les eaux vives de la morale humaine. Je ne parle pas d'une humilité basse, qui n'est trop souvent qu'un calcul, ou, à prendre les choses au mieux, une timidité de l'orgueil et une sorte de prêt usuraire que la vanité d'aujourd'hui consent à la vanité de demain. Mais le sage lui-même s'imagine parfois qu'il est salutaire de se diminuer un peu à ses propres yeux, et de ne pas s'avouer les mérites qu'il a souvent le droit de se reconnaître lorsqu'il se compare à d'autres hommes. Une telle humilité, bien qu'elle soit sincère, enlève à notre loyauté intime, qu'il faut toujours respecter par-dessus tout, ce qu'elle peut ajouter à la douceur de notre attitude dans la vie. En tout cas, elle décèle une certaine timidité de conscience, et la conscience du sage ne doit avoir aucune pudeur, aucune timidité.

Mais, à côté de cette humilité trop personnelle, existe une humilité générale, une humilité haute et ferme qui se nourrit de tout ce qu'apprennent notre esprit, notre âme et notre coeur. Une humilité qui nous montre exactement ce que l'homme peut attendre et espérer, une humilité qui ne nous diminue que pour rendre plus grand tout ce que nous voyons, une humilité qui nous enseigne que l'importance de l'homme ne se trouve pas dans ce qu'il est, mais dans ce qu'il peut apercevoir, dans ce qu'il tâche d'admettre et de comprendre. Il est vrai que la douleur nous ouvre aussi le domaine de cette humilité, mais elle ne le fait guère que pour nous conduire trop directement à je ne sais quelle porte d'espérance, sur le seuil de laquelle nous perdons bien des jours; au lieu que le bonheur, n'ayant pas autre chose à faire au bout de quelques heures, nous en fait parcourir en silence les sentiers les plus inaccessibles. C'est quand le sage est aussi heureux que possible, qu'il devient aussi peu exigeant, aussi peu orgueilleux qu'on peut l'être. C'est lorsqu'il sait qu'il possède enfin tout ce qu'il est permis à l'homme de posséder, qu'il commence à comprendre que ce qui fait la valeur de tout ce qu'il possède ne se trouve que dans la manière dont il envisage ce que l'homme ne pourra jamais posséder. Aussi n'est-ce guère qu'au sein d'un bonheur prolongé qu'on acquiert une vue indépendante de la vie. Il ne faut pas être heureux pour être heureux, mais pour apprendre à voir distinctement ce que nous cacherait toujours l'attente vaine et trop passive du bonheur.

XCII

Mais, laissons ce sujet pour nous rapprocher de ce que nous disions tout à l'heure. Dans le royaume de notre coeur qui est, pour presque tous les hommes, le royaume où se récolte la substance même de la vie, il n'y a pas d'économies inutiles. Il serait préférable de n'y rien faire que de n'y faire les choses qu'à demi, et c'est toujours ce qu'on n'a pas osé risquer que l'on perd sûrement. Une passion ne nous enlève véritablement que ce que nous croyons lui dérober, et nous sommes toujours diminués de la part que nous pensons avoir retenue pour nous-mêmes. D'ailleurs, il y a, dans notre âme, certaines retraites si profondes, que l'amour seul ose en descendre les degrés, et c'est l'amour aussi qui en rapporte des joyaux imprévus, dont nous n'apercevons l'éclat que dans le bref moment où nos mains s'ouvrent pour les offrir à des mains bien-aimées. On dirait, en effet, que nos mains, en s'ouvrant pour donner, répandent parfois une clarté spéciale, qui perce des corps plus opaques que ne font les rayons mystérieux qu'on vient de découvrir.

XCIII

À quoi bon s'affliger longtemps de ses erreurs ou de ses pertes? Quoi qu'il arrive, aux dernières minutes de l'heure la plus triste, au bout de la semaine, à la fin de l'année, il y aura toujours lieu de sourire pour l'homme de bonne foi lorsqu'il rentrera en lui-même. Il apprend peu à peu à regretter sans larmes. Il est le père de famille qui, vers le soir, et le travail fini, revient à la maison. Il se peut que les enfants pleurent, jouent à des jeux dévastateurs ou dangereux, aient dérangé les meubles, brisé un verre, renversé une lampe; ira-t-il se désespérer? Certes, il eût été préférable, au point de vue de la morale théorique, qu'ils se fussent tenus bien tranquilles, qu'il eussent appris à lire ou à écrire, mais quel père raisonnable, au milieu des reproches les plus vifs, pourra s'empêcher de sourire en détournant la tête? Il ne déplore pas ces manifestations un peu folles de la vie. Rien n'est perdu, tant qu'il peut revenir, tant qu'il porte sur lui la clef du logis protecteur. Les bienfaits de notre descente en nous-mêmes se trouvent moins dans l'examen de ce que notre âme, notre esprit, notre coeur, ont entrepris ou achevé durant notre absence, que dans cette descente même. Et si les heures sont passées sans dénouer sur notre seuil leurs ceintures mystérieuses, si les salles sont vides comme au jour du départ, si nul de ceux qui devaient travailler n'a remué les mains, la sonorité des pas du retour nous apprend, en tout cas, quelque chose sur l'étendue, sur l'attente, sur la fidélité de la demeure.

Il n'y a de jours médiocres qu'en nous-mêmes, mais il y aurait toujours place pour la destinée la plus haute dans les jours les plus médiocres, car une telle destinée se déroule bien plus complètement en nous qu'à la surface de l'Europe. Le lieu d'une destinée, ce n'est pas l'étendue d'un empire, mais l'étendue d'une âme. Notre destinée véritable se trouve dans notre conception de la vie, dans l'équilibre qui finit par s'établir entre les questions insolubles du ciel et les réponses incertaines de notre âme. À mesure que ces questions s'étendent, elles deviennent plus paisibles, et tout ce qui arrive au sage agrandit ces questions et apaise ces réponses.

Ne parlez pas de destinée tant qu'un événement vous réjouit ou vous attriste sans rien changer à la manière dont vous admettez l'univers. La seule chose qui nous reste après le passage de l'amour, de la gloire, de toutes les aventures, de toutes les passions humaines, c'est un sentiment de plus en plus profond de l'infini; et si cela ne nous est pas resté, il ne nous reste rien. J'entends un sentiment, et non pas seulement un ensemble de pensées, car les pensées ne sont ici que les marches innombrables qui nous mènent peu à peu au sentiment dont je parle. Il n'y a aucun bonheur dans le bonheur lui-même, tant qu'il ne nous aide pas à songer à autre chose; tant qu'il ne nous aide pas à comprendre en quelque sorte la joie mystérieuse que l'univers éprouve à exister.

Arrivé à une certaine hauteur, tout événement apaisera le sage, car l'événement qui l'afflige d'abord selon les hommes, finit aussi bien que les autres par ajouter son poids au grand sentiment de la vie. Il est bien difficile d'enlever une satisfaction à celui qui a appris à transformer toute chose en un sujet d'étonnement désintéressé; il est difficile de lui enlever une satisfaction, sans que de l'idée même qu'il peut se passer de cette satisfaction ne naisse immédiatement une pensée plus haute qui l'enveloppe d'une lumière protectrice. Une belle destinée est celle où pas une aventure, heureuse ou malheureuse, n'est passée sans nous faire réfléchir, sans élargir la sphère où notre âme se meut, sans augmenter la tranquillité de notre adhésion à la vie. Aussi pouvons-nous dire que notre destinée se trouve bien plus réellement dans la façon dont nous sommes capables de regarder un soir le ciel et ses étoiles indifférentes, les hommes qui nous entourent, la femme qui nous aime et les mille pensées qui s'agitent en nous, que dans l'accident qui nous arrache notre amour, nous prépare une entrée triomphale ou nous élève sur un trône.

XCV

Quelqu'un disait un jour à une femme, qui lui semblait l'être le plus admirable, le plus comblé des dons les plus divers, y compris la jeunesse et la beauté physique, qu'il fût possible de trouver: «Qu'allez-vous faire? Qui pourrez-vous aimer? Je ne vois pas d'issue; il n'y a pas de destinée qui soit à la hauteur d'une âme telle que la vôtre.» Qu'en savait-il? Ce n'est pas la destinée, mais l'âme qui doit avoir de la hauteur. Sans doute, qu'il songeait, selon l'habitude des hommes, à un trône, à des triomphes, à des aventures merveilleuses. Mais celui pour qui ces choses représentent la destinée d'un être, n'a pas la moindre idée de ce que c'est qu'une destinée. Et d'abord, pourquoi dédaigner aujourd'hui? Dédaigner aujourd'hui, c'est prouver qu'on n'a pas compris hier. Dédaigner aujourd'hui, c'est se déclarer étranger; et qu'espérez-vous faire en ce monde si vous y passez comme un étranger? Aujourd'hui a sur hier qui n'est plus, l'avantage d'exister et d'être fait pour nous. Aujourd'hui, quel qu'il soit, en sait plus long qu'hier, et, par conséquent, est plus vaste et plus beau.

Croyez-vous que la femme dont je parle eût eu une destinée plus belle à Venise, à Florence, ou à Rome? Elle y eût assisté à des fêtes éclatantes, et sa beauté s'y fût promenée en des paysages parfaits. Elle y eût vu, peut-être, des princes, des rois et une foule d'élite à ses pieds; et peut-être eût-elle pu, par un de ses sourires, augmenter le bonheur d'un grand peuple, adoucir ou ennoblir la pensée d'une époque. Aujourd'hui, toute sa vie s'écoulera probablement entre quatre ou cinq âmes qui connaissent son âme et qui l'aiment. Il se peut qu'elle ne sorte pas de sa maison, et que son existence, sa pensée et sa force ne laissent aucune trace distincte et permanente parmi les hommes. Il se peut que toute sa beauté, toute sa puissance, toute son énergie morale demeurent ensevelies en elle-même et dans le coeur de quelques-uns de ceux qui l'approchèrent. Il est possible aussi que son âme trouve une issue. De nos jours, les grandes portes qui donnent accès à une vie utile et mémorable ne roulent plus sur leurs gonds avec le même fracas qu'autrefois. Elles sont peut-être moins monumentales, mais leur nombre est plus grand et elles s'ouvrent sur des sentiers plus silencieux parce qu'ils mènent plus loin.

Mais, en supposant même que tout demeure dans l'ombre, aura-t-elle manqué sa destinée parce qu'aucun rayon n'aura franchi le seuil de sa demeure? Une destinée ne peut-elle être belle et complète en elle-même? Une âme vraiment forte qui jette un regard en arrière s'arrêtera-t-elle aux triomphes dont elle fut l'objet, si ces triomphes n'ont pas servi à la faire réfléchir sur la vie, à augmenter en elle la noble humilité de l'existence humaine, à lui faire aimer davantage le silence et la méditation dans lesquelles on récolte les fruits mûris en quelques heures à la chaleur des passions que la gloire, l'amour, l'enthousiasme font bouillonner? À la fin de ces fêtes et de ces actions héroïques, bienfaisantes ou harmonieuses, que lui restera-t-il, hormis quelques pensées, quelques souvenirs, quelque augmentation de conscience, en un mot, et un sentiment plus apaisé, plus étendu aussi, puisqu'il lui a fallu s'étendre à plus de choses, de la situation de l'homme sur cette terre? Au moment où les vêtements éclatants de l'amour, de la puissance ou de la gloire tombent autour de nous pour l'heure du repos, — et cette heure ne sonne-t-elle pas chaque soir, et chaque fois que nous nous trouvons seuls? — qu'emportons-nous dans la retraite, où le bonheur de toute vie finit par se peser au poids de la pensée, au poids de la confiance acquise, au poids de la conscience? Notre destinée véritable se trouve-t-elle dans ce qui passe autour de nous ou dans ce qui demeure dans notre âme? «Quelque puissants que soient les rayonnements de la gloire ou du pouvoir dont jouit un homme, dit un penseur, son âme a bientôt fait justice des sentiments que lui procure toute action extérieure, et il s'aperçoit promptement de son néant réel, en ne trouvant rien de changé, rien de nouveau, rien de plus grand dans l'exercice de ses facultés physiques. Les rois, eussent-ils la terre à eux, sont condamnés, comme les autres hommes, à vivre dans un petit cercle dont ils subissent les lois, et leur bonheur dépend des impressions personnelles qu'ils y éprouvent.»

Qu'ils y éprouvent et dont ils se souviennent, ajoutons-nous, parce qu'elles les ont améliorés, car les âmes dont nous nous occupons ici, de toutes les aventures de leur vie, ne retiennent jamais que celles qui les rendirent un peu plus grandes, un peu meilleures. Est-il donc impossible de trouver n'importe où, dans n'importe quel silence, la seule matière inaltérable qui reste au fond du creuset de la plus noble existence extérieure, et puisque nous ne possédons une chose qu'autant qu'elle nous accompagne dans l'obscurité et le silence, sera-t-elle moins fidèle au silence et à l'obscurité parce qu'elle y est née?

Mais n'allons pas plus loin dans ces chemins qui pourraient nous conduire à une sagesse trop théorique. Si une belle destinée extérieure n'est pas indispensable, il est néanmoins nécessaire de l'espérer et de faire ce qu'on peut pour l'obtenir, comme si on y attachait la plus grande importance. Le grand devoir du sage est de frapper à tous les temples, à toutes les demeures de la gloire, de l'activité, du bonheur, de l'amour. Si rien ne s'ouvre après un grave effort, après une longue attente, peut-être aura-t-il trouvé dans l'effort et dans l'attente mêmes l'équivalent de la clarté et des émotions qu'il cherchait. «Agir, dit quelque part Barrès, c'est annexer à notre réflexion de plus vastes champs d'expériences.» Agir, pourrait-on ajouter, c'est penser plus vite et plus complètement que la pensée ne peut le faire. Agir, ce n'est plus penser avec le cerveau seul, c'est faire penser tout l'être. Agir, c'est fermer dans le rêve, pour les ouvrir dans la réalité, les sources les plus profondes de la pensée. Mais agir, ce n'est pas nécessairement triompher. Agir, c'est aussi essayer, attendre, patienter. Agir, c'est aussi écouter, se recueillir, se taire.

Il y aurait eu, il est vrai, pour la femme, dont nous parlons ici, il y aurait eu à Athènes, Florence, ou à Rome, certains motifs d'exaltation et certaines occasions de beauté ou d'héroïsme qu'elle ne retrouvera pas aujourd'hui. Il y aurait eu aussi, pour elle, l'effort et le souvenir de ses actions; force vive et précieuse, car l'effort que nous faisons, et le souvenir de ce que nous avons fait, transforment souvent en nous plus de choses que la pensée la plus haute, qui moralement ou intellectuellement, vaudrait mille de ces efforts ou de ces souvenirs. Oui, et c'est cela seul qu'il faudrait envier à une destinée agitée et brillante, à savoir qu'elle étend et éveille un certain nombre de sentiments et d'énergies qui ne seraient jamais sortis de leur sommeil ou de l'enclos d'une existence trop paisible. Mais savoir ou soupçonner que ces sentiments ou ces énergies dorment en nous, n'est-ce pas déjà réveiller ce qu'ils ont de meilleur, n'est-ce déjà pas regarder un moment la belle destinée extérieure des hauteurs où elle ne parviendra qu'à la fin de ses jours, et récolter d'avance la fleur d'une moisson qu'elle ne pourra cueillir qu'après bien des orages?

Hier soir, relisant Saint-Simon, où il semble que l'on voie, du haut d'une tour, s'agiter dans la plaine des centaines de destinées humaines, j'ai compris ce que l'instinct de l'homme appelle une belle destinée. Peut-être Saint-Simon ignore-t-il lui-même ce qu'il aime et ce qu'il admire en quelques-uns des héros qu'il entoure d'une sorte de respect résigné et inconscient. Mille vertus sont mortes qu'il vénérait, et mille qualités qu'il prônait en ses grands hommes nous paraissent aujourd'hui bien petites. Mais sans qu'il s'en occupe spécialement, et bien qu'il désapprouve au fond l'idée qui les anime; quatre ou cinq visages graves, bienveillants et admirables, passent, à son insu pour ainsi dire, dans la foule éclatante qui ruisselle autour du trône du grand roi. C'est Fénelon, ce sont les ducs de Chevreuse et de Beauvilliers; c'est Monsieur le Dauphin. Ils ne sont pas plus heureux que la plupart des hommes. Ils ne remportent aucun succès définitif, aucune victoire retentissante. Ils vivent comme les autres, dans le trouble et dans l'attente de ce qu'on n'appelle, je pense, le bonheur, que parce qu'on l'attend. Fénelon encourt la disgrâce de cet esprit assez médiocre, mais avisé et perspicace, orgueilleux, ombrageux et solennel, grand dans les petites choses et petit dans les grandes, qu'était Louis XIV. Il est condamné, persécuté, exilé. Les ducs de Chevreuse et de Beauvilliers, malgré l'importance de leurs charges, vivent à la Cour dans une sorte de retraite prudente et volontaire. Monsieur le Dauphin ne jouit pas de la faveur royale. Il est en butte aux intrigues d'une cabale puissante et envieuse, qui parvient à briser sa jeune gloire militaire. Il est enveloppé de disgrâces, de contretemps et de malheurs qui semblent irréparables à cette Cour vaniteuse et servile, car les disgrâces et les malheurs prennent les proportions que les moeurs du moment leur accordent. Il meurt enfin, quelques jours après Madame la Dauphine, qu'il avait uniquement et follement aimée. Il meurt, peut-être empoisonné comme elle, et tombe en quelque sorte foudroyé, à l'heure même où les premiers rayons d'une faveur que l'on n'espérait plus venaient dorer les marches de son palais.

Voilà donc les tristesses, les mécomptes, les désappointements et les troubles que parcoururent ces existences. Et pourtant, lorsque l'on considère leur petit groupe silencieux et uni, au milieu de l'éclat intermittent et capricieux des autres, ces quatre destinées semblent vraiment belles et enviables. Une lumière commune les accompagne en toutes leurs vicissitudes. Elle sort de la grande âme de Fénelon. Fénelon est fidèle à de hautes pensées d'admiration, de sainteté, de justice, de douceur et d'amour; et les trois autres sont fidèles à leur maître et à leur ami.

Qu'importe, ici, que les idées mystiques de Fénelon ne soient plus les nôtres? Qu'importe aussi que les pensées que nous croyons les plus profondes et les meilleures et sur lesquelles nous établissons notre bonheur moral et toutes les certitudes de notre vie, tombent en ruine derrière nous, et fassent sourire un jour ceux qui auront trouvé des pensées qu'ils s'imagineront plus humaines et plus définitives? Ce qui compte, ce qui ennoblit et éclaire notre vie, c'est bien moins nos pensées que les sentiments qu'elles éveillent en nous. La pensée est peut-être le but; mais il en est de ce but comme du but de bien des voyages: c'est le trajet, ce sont les étapes, c'est ce qu'on rencontre sur la route, c'est ce qui nous arrive par surcroît, qui nous intéresse le plus. Ce qui demeure ici, comme en toutes choses, c'est la sincérité d'un sentiment humain. Une pensée, nous ne savons jamais si elle ne nous trompe pas; mais l'amour dont nous l'avons aimée retombera sur nous, sans qu'une seule goutte de sa clarté ou de sa force se perde dans l'erreur. Ce qui constitue, ce qui nourrit l'être idéal que chacun de nous s'efforce de former en lui-même, ce n'est pas tant l'ensemble des idées qui en dessinent le contour, que la passion pure, la loyauté, le désintéressement dont nous enveloppons ces idées. La manière dont nous aimons ce que nous croyons être une vérité a plus d'importance que la vérité même. Ne devient-on pas meilleur par l'amour que par la pensée? Aimer loyalement une grande erreur vaut souvent mieux que de servir petitement une grande vérité.

Cette passion, cet amour peut d'ailleurs se trouver dans le doute comme dans la foi. Il y a des doutes aussi passionnés, aussi généreux que les plus belles convictions. Ce qu'a de meilleur une pensée qui nous paraît très haute, très pure ou profondément incertaine, c'est qu'elle nous offre l'occasion d'aimer quelque chose sans réserve. Que je me donne à un homme, à un Dieu, à une patrie, à un univers, à une erreur, le métal précieux qu'on trouvera un jour au fond des cendres de l'amour ne proviendra pas de l'objet de cet amour, mais de l'amour lui-même. Ce qui laisse une trace qui ne s'efface pas, c'est la simplicité, l'ardeur, la fermeté d'un attachement sincère. Tout passe, se transforme, se perd peut-être, hormis le rayonnement de cette profondeur, de cette fermeté, de cette fécondité de notre coeur.

«Jamais homme ne posséda son âme en paix comme celui-là» dit Saint-Simon, parlant de l'un d'eux environné d'intrigues, de colères et de pièges. Et plus loin, c'est la «sage tranquillité» d'un autre, et cette «sage tranquillité» pénètre ce qu'il appelle «tout le petit troupeau». C'est, en effet, le petit troupeau de la fidélité aux meilleures pensées, le petit troupeau de l'amitié, de la loyauté, du respect de soi-même et de la satisfaction intérieure, qui passe dans une lumière simple et paisible au milieu des vanités, des ambitions, des mensonges, et des trahisons de Versailles.

Ce ne sont pas des saints au sens trop ordinaire de ce mot. Ils ne se sont pas retirés au fond des déserts ou des forêts, ils n'ont pas cherché un égoïste abri en d'étroites cellules. Ce sont des sages; ils ne sortent pas de la vie; ils demeurent dans la réalité. Ne croyons pas que leur piété les sauve, et que le refuge de leur âme ne se trouve qu'en Dieu. Il ne suffit pas d'aimer Dieu et de le servir du mieux que l'on peut, pour que l'âme humaine s'affermisse et se tranquillise. On ne parvient à aimer Dieu qu'avec l'intelligence et les sentiments qu'on a acquis et développés au contact des hommes. L'âme humaine reste profondément humaine malgré tout. On peut lui apprendre à aimer bien des choses invisibles, mais une vertu, un sentiment complètement et simplement humain, la nourrira toujours plus efficacement que la passion ou la vertu la plus divine. Lorsque nous rencontrons une âme vraiment tranquille et saine, soyons sûrs qu'elle doit sa santé et sa tranquillité à des vertus humaines. S'il était permis de lire dans le secret des coeurs qui ne sont plus, peut-être verrait-on que la source de paix où Fénelon allait boire chaque soir en son exil, se trouvait bien plus dans sa fidélité à Mme Guyon malheureuse, dans son amour pour le Dauphin méconnu et persécuté, que dans l'attente d'une récompense éternelle; dans sa conscience humainement tendre, humainement loyale, humainement irréprochable en un mot, que dans ses espérances de chrétien.

XCVIII

Admirable sécurité du «petit troupeau»! Aucune vertu n'allume ici des feux éblouissants sur la montagne, toutes les flammes restent dans l'âme et dans le coeur. Et pas d'autre héroïsme que celui de la confiance, de la sincérité et de l'amour qui se souviennent et qui patientent. Il est des êtres dont la vertu sort à certains moments avec un bruit de portes qu'on ouvre et qu'on referme. Il en est d'autres en qui elle demeure comme une servante silencieuse qui ne quitte pas la maison; et ceux qui viennent du dehors et qui ont froid la trouvent toujours laborieuse et attentive au coin du feu.

Peut-être faut-il, dans une belle vie, moins d'heures héroïques que de semaines graves, uniformes et pures. Peut-être une âme droite et absolument juste est-elle plus précieuse qu'une âme tendre et dévouée. Si l'on doit en espérer un peu moins d'abandon, un peu moins d'enthousiasme dans les aventures excessives de l'existence, on peut se reposer sur elle avec plus de confiance et plus de certitude dans les circonstances ordinaires; et quel homme, à tout prendre, si étrange, si troublée, si glorieuse que soit sa vie, ne la passe presque tout entière dans des circonstances ordinaires? Que sont, lorsqu'on y réfléchit, et surtout lorsqu'on y est mêlé, les instants les plus décisifs des événements les plus resplendissants? N'est-on pas étonné de voir évoluer, dans le grand tourbillon de l'heure la plus sublime, toutes les habitudes et toutes les réflexions de l'heure la plus calme? Il faut toujours en revenir à une vie normale: là se trouve le sol ferme et le roc primitif. On n'a pas à m'arracher chaque jour à la mort, au déshonneur, au désespoir, mais peut-être est-il indispensable que je puisse me dire, à chaque heure attristée de chaque jour, qu'une âme qui s'est approchée de mon âme existe quelque part, silencieuse, fidèle, insensible à tout ce qui ne lui semble pas conforme à la vérité, invariable, inébranlable.

Il est, certes, excellent de faire çà et là une action héroïque ou extrêmement généreuse, mais il est plus louable encore, et cela demande une force plus constante, de ne jamais se laisser tenter par une pensée inférieure, et de mener une vie moins hautaine, mais plus également sûre. Mettons parfois, dans nos méditations, notre désir de perfection morale au niveau de la vérité quotidienne, pour reconnaître qu'il est plus facile de taire par moments un grand bien que de ne jamais faire le moindre mal, de faire quelquefois sourire que de ne jamais faire pleurer.

XCIX

Ils avaient les uns dans les autres, ils avaient surtout en eux-mêmes, leur refuge, «leur rocher ferme», comme dit Saint-Simon, et la partie inébranlable de ce rocher avait exactement l'étendue de ce qui était irréprochable dans leur coeur.

Mille choses forment les assises du «rocher ferme», mais son plateau central n'est-il pas toujours là où se trouve ce qui nous semble irréprochable en nous? Il est vrai que ce goût de l'irréprochable est souvent bien grossier, et qu'il n'est pas de scélérat qui ne monte un instant chaque soir sur de misérables débris qu'il croit irréprochables. Mais je parle ici d'une vertu un peu plus haute que la vertu strictement nécessaire, et l'être le plus ordinaire sait très bien ce qu'est une vertu qui n'est pas ordinaire. La beauté morale la plus imprévue a ceci de particulier, que l'homme le plus borné ne peut jamais sincèrement prétendre qu'il ne la saisit pas, et l'acte le plus sublime est aussi celui que l'on comprend le plus facilement. Il n'est peut-être pas indispensable de s'élever à la hauteur de ce qu'il nous est donné d'admirer, mais il est nécessaire de ne s'endormir jamais dans les profondeurs de ce qu'on ne peut s'empêcher de blâmer.

Mais revenons au refuge de nos sages. Dans la vie, bien des bonheurs, bien des malheurs ne sont dus qu'au hasard; mais la paix intérieure ne dépend jamais du hasard. Je sais qu'il est des âmes bâtisseuses, qu'il en est d'autres amies des ruines, et qu'il en est enfin qui errent toute leur vie d'abris en abris, sous des toits étrangers. Mais s'il est difficile de transformer l'instinct d'une âme, il n'est pas inutile que celles qui ne bâtissent pas sachent la joie que les autres éprouvent à remettre sans cesse les pierres sur les pierres. Pensées, attachements, amours, convictions, déceptions, doutes même, tout leur sert, et ce que la tempête brise en l'arrachant devient plus commode à manier pour reconstruire un peu plus loin un édifice moins orgueilleux, mais mieux approprié aux exigences de la vie.

Quelles tristesses, quels regrets, ou quelles désillusions peuvent encore ébranler la maison de celui qui n'a pas rejeté ce qu'il y a de sage et de solide dans les tristesses, les regrets, et les désillusions, tandis qu'il choisissait les pierres de sa demeure? Et puis, pour nous servir d'une autre image, n'est-il pas vrai de dire qu'il en est des racines du bonheur intérieur comme de celles des grands arbres? Ce sont les chênes que la tempête tourmente le plus souvent qui finissent par avoir les plus puissantes et les plus nourricières attaches dans le sol éternel; et le destin qui nous secoue injustement ne sait pas plus ce qui a lieu dans l'âme, que le vent ne se doute de ce qui passe sous terre.

C

Il est intéressant de surprendre ici la puissance et l'attrait mystérieux du bonheur véritable. Quand l'un de ceux qui font partie du «petit troupeau» passe à travers la foule heureuse et triomphante qui encombre d'intrigues, de salutations, de petites amours, de petites victoires, les escaliers de marbre et les appartements magnifiques de Versailles, il se fait parfois une sorte de silence dans le tumultueux récit de Saint-Simon. Sans qu'il ait besoin de le faire remarquer, il semble qu'on mesure un moment ces maigres vanités, ces satisfactions éclatantes mais provisoires, ces mensonges qui parlent haut mais qui tremblent dans l'ombre, à la hauteur normale d'une âme tranquille et porte. Il arrive à peu près ce qui a lieu quand au milieu d'enfants qui jouent à des jeux défendus, arrachent ou écrasent des fleurs, se prennent à voler des fruits, torturent sournoisement un animal inoffensif, un prêtre ou un vieillard s'avance qui ne songe cependant pas à les gronder. Les jeux sont brusquement interrompus; il y a un réveil de conscience effaré; et les regards gênés s'arrêtent malgré eux sur le devoir, sur la réalité et sur la vérité.

Mais les hommes, d'habitude, ne s'attardent pas plus longtemps que les enfants à suivre des yeux le vieillard, le prêtre ou la réflexion qui s'éloigne. N'importe, ils ont vu; car l'âme humaine, en dépit des yeux qui se détournent ou se ferment trop volontairement, est plus noble que la plupart des hommes ne le désirent pour leur tranquillité, et entrevoit sans peine ce qui est supérieur à l'instant inutile auquel on tâche de l'intéresser. On a beau chuchoter le long de la route du sage qui disparaît, il a tracé, sans le savoir, dans les erreurs et dans les vanités, un sillon qui s'effacera moins vite qu'on ne croit. Il reverdira surtout à l'heure inattendue des larmes. Une âme un peu plus pure, un peu plus vivante que les autres, pleure bien rarement dans le récit de Saint-Simon, sans qu'elle aille pleurer auprès de l'un de ceux qu'elle vit passer ainsi dans le silence un peu inquiet et l'étonnement presque malveillant qui accompagnent dans le monde les pas d'une vie irréprochable.

On ne s'interroge guère sur le bonheur durant les jours où l'on se croit heureux; mais vienne l'instant de la souffrance, et l'on n'a pas de peine à se rappeler le lieu où se cache une paix qui ne dépend pas d'un rayon de soleil, d'un baiser refusé ou d'une improbation royale. Nous n'allons pas alors à ceux qui sont heureux à la manière dont nous le fûmes, nous savons enfin ce qui subsiste de ce bonheur après que le hasard a fait le moindre signe d'impatience. Si vous voulez apprendre où se cache la félicité la plus sûre, ne perdez pas de vue les démarches des misérables en quête de consolations. La douleur ressemble à la baguette divinatoire dont se servaient jadis les chercheurs de trésors ou d'eaux vives; elle indique à celui qui la porte l'entrée de la demeure où respire la paix la plus profonde. Et cela est si vrai, que nous devrions nous demander, parfois, si nous pouvons avoir confiance en la qualité de notre quiétude, en la tranquillité, en la sincérité de notre assentiment aux grandes lois de l'existence, en la stabilité de notre joie, tant que l'instinct des affligés ne les pousse pas à frapper à notre porte, tant qu'ils ne semblent pas reconnaître, endormi sur le seuil, le beau rayon ferme et paisible de la lampe qui ne s'éteint jamais.

Oui, ceux-là seuls ont le droit de se croire à l'abri, chez qui tous ceux qui pleurent voudraient venir pleurer. Il y a ainsi, de par le monde, des êtres dont nous n'apercevons le sourire intérieur qu'à partir du moment où les larmes qui lavent nos regards jusqu'en leurs plus mystérieuses sources, nous ont appris à discerner la présence d'un bonheur qui ne naît pas de la bienveillance ou de l'éclat d'une heure, mais de l'acceptation agrandie de la vie. Ici, comme en bien des choses, c'est le désir et la nécessité qui aiguisent nos sens. L'abeille qui a faim trouve le miel caché aux plus profondes cavernes; et l'âme qui pleure définitivement aperçoit la joie qui se dissimule dans la retraite ou le silence le plus impénétrable.

CI

Sitôt que la conscience s'éveille et se met à vivre dans un être, c'est une destinée qui commence. Il ne s'agit pas ici de la conscience appauvrie et passive de la plupart des âmes, mais de la conscience active qui accepte l'événement, quel qu'il soit, comme une reine, alors même qu'on l'a jetée dans une prison, sait accepter un don. S'il ne vous arrive rien, votre conscience peut déjà créer un très grand événement en constatant, d'une certaine façon, l'absence de tout événement. Mais peut-être n'y a-t-il pas un homme à qui n'arrivent plus de choses qu'il n'en faut pour alimenter la conscience la plus avide, la plus infatigable.

J'ai en ce moment sous les yeux la biographie d'une de ces âmes puissantes et passionnées, à côté de laquelle toutes les aventures qui font le bonheur ou le malheur des hommes semblent avoir passé sans détourner la tête. Il s'agit de la femme de génie la plus étrange, la plus incontestable, de la première moitié de ce siècle, Emily Brontë. Elle ne nous a laissé qu'un livre, un roman, intitulé: *Wuthering Heights*, titre bizarre que l'on pourrait traduire ainsi: *Les sommets orageux.*

Emily était la fille d'un clergyman anglais, le révérend Patrick Brontë, l'être le plus nul, le plus immobile, le plus prétentieux, le plus égoïste qu'on puisse imaginer. Deux choses lui semblaient importantes dans la vie: la pureté de son profil grec et la sécurité de ses digestions. Quant à la pauvre mère d'Emily, elle parut vivre tout entière dans l'admiration de ce profil et dans le respect de ces digestions conjugales. Au reste, à quoi bon rappeler ici son existence, puisqu'elle mourut deux ans après la naissance d'Emily? Ajoutons, néanmoins, ne fût-ce que pour prouver une fois de plus que dans la vie médiocre, la femme est presque toujours supérieure à l'homme qu'elle a dû accepter, ajoutons que longtemps après la mort de l'épouse si soumise du vaniteux et végétatif clergyman, on trouva une liasse de lettres où celle qui s'était toujours tue, jugeait très nettement l'indifférence, la fatuité et l'égoïsme de son mari. Il est vrai que pour apercevoir un défaut dans les autres il ne faut pas en être exempt, tandis que pour découvrir une vertu il est peut-être nécessaire d'en posséder le germe. Tels étaient les parents d'Emily. Autour d'elle, quatre sœurs et un frère regardaient couler gravement les mêmes heures uniformes. Toute la famille vivait, et toute l'existence d'Emily se passa dans le sombre, le désolé, le solitaire, misérable et stérile petit village de Haworth, au milieu des bruyères du Yorkshire.

Il n'y eut jamais d'enfance ni de jeunesse plus abandonnées, plus attristées, plus monotones que celles d'Emily et de ses quatre soeurs. Pas une de ces petites aventures heureuses ou quelque peu inattendues qui, agrandies et embellies ensuite par les années, forment au fond de l'âme le seul trésor inépuisable de la mémoire souriante de la vie. Depuis le premier jour jusqu'au dernier, le lever, les soins du ménage, les leçons, le travail aux côtés d'une vieille tante, les repas, les promenades, la main dans la main, et presque toujours silencieuses, des graves petites filles sur la bruyère en fleurs ou couverte de neige. Au logis, l'indifférence absolue d'un père qu'on ne voyait presque jamais, qui prenait ses repas dans sa chambre, et ne descendait que le soir pour lire à haute voix, dans la salle commune du presbytère, les accablants débats du Parlement anglais. Au dehors, le silence du cimetière qui entourait la maison, le grand désert sans arbres, et les collines ravagées du printemps à l'hiver par le terrible vent du nord.

Les hasards de la vie — car il n'est pas de vie où les hasards ne fassent quelque effort-arrachèrent trois ou quatre fois Emily à ce désert qu'elle avait appris à aimer, et à considérer, ainsi qu'il arrive à ceux qui restent trop longtemps aux mêmes lieux, comme le seul endroit où le ciel, la terre, les plantes fussent réels et admirables. Mais au bout de quelques semaines d'absence elle languissait, ses beaux yeux ardents s'éteignaient, et l'une ou l'autre de ses soeurs devait la ramener en hâte à la solitaire maison du pasteur.

En 1843, — elle avait alors vingt-cinq ans,-elle y rentra pour ne plus la quitter qu'à la mort. Aucun événement, aucun sourire, aucun espoir d'amour dans toute son existence avant ce retour définitif. Pas même le souvenir de l'un de ces malheurs, de l'une de ces déceptions, qui permettent à tant d'êtres trop faibles ou trop peu exigeants en face de la vie, de s'imaginer que la fidélité passive à ce qui s'est détruit soi-même est un acte de vertu, que l'inaction dans les larmes est une excuse à l'inaction, et qu'on a fait tout ce qu'il y avait à faire, quand on a tiré de sa souffrance toutes les tristesses et toutes les résignations qu'on y pouvait trouver.

Ici, il n'y avait même pas de quoi attacher aux parois vierges et lisses d'une âme sans passé, le souvenir ou la résignation. Rien avant cette dernière étape, rien après, si ce n'est de pauvres et désolantes aventures de garde-malade, auprès d'un frère dont l'existence fut brisée par la paresse et par une grande passion malheureuse, d'un frère à peu près fou, alcoolique incorrigible et mangeur d'opium. Puis, comme elle allait accomplir sa vingt-neuvième année, par une après-midi de décembre, dans le parloir blanchi à la chaux du petit presbytère et tandis qu'elle peignait ses longs cheveux noirs au coin du feu, le peigne tomba dans les flammes, elle n'eut pas la force de le ramasser, et la mort, plus silencieuse encore que sa vie, vint l'enlever sans violence aux pâles étreintes des deux soeurs que le sort lui avait laissées.

CII

«Je n'aperçois pour toi, sur les grands genoux du destin, ni un signe d'amour, ni une étincelle de gloire, ni une heure souriante!» s'écrie, dans un beau mouvement de tristesse Miss Mary Robinson qui nous raconte cette existence. En effet, vue du dehors, il n'y a pas de vie plus morne, plus incolore, plus vaine, plus glacée que celle d'Emily Brontë.

Mais de quel côté envisager la vie pour découvrir sa vérité, pour la juger, pour l'approuver et pour l'aimer? Si nous détournons un instant les regards du petit presbytère isolé dans la lande pour les reporter sur l'âme de notre héroïne, nous voyons un autre spectacle. Il est rare que l'on puisse surprendre ainsi la vie d'une âme dans un corps qui n'eut pas d'aventures, mais il est moins rare qu'on ne pense qu'une âme ait une vie personnelle à peu près indépendante des incidents de la semaine ou de l'année. Il y a dans *Wuthering Heights*, qui est le tableau des passions, des désirs, des réalisations, des réflexions, et de l'idéal de cette âme, sa véritable histoire en un mot, plus d'énergie, plus de passion, plus d'aventures, plus d'ardeur, plus d'amour qu'il n'en faudrait pour animer et pour apaiser tour à tour vingt existences héroïques, vingt destinées heureuses ou malhe-reuses.

Aucun événement ne s'arrêta jamais au seuil de sa demeure; mais il n'est pas un événement auquel elle avait droit qui n'ait eu lieu dans son coeur avec une force, une beauté, une précision et une ampleur incomparables. Il ne lui arrive rien, semble-t-il, mais tout ne lui arrive-t-il pas plus personnellement et plus réellement qu'à la plupart des êtres, puisque tout ce qui se produit autour d'elle, tout ce qu'elle aperçoit et tout ce qu'elle entend, se transforme chez elle en pensées, en sentiments, en amour indulgent, en admiration, en adoration pour la vie?

Qu'importe qu'un événement tombe sur notre toit ou sur le toit voisin? L'eau que verse un nuage est à qui la recueille, et le bonheur, la beauté, l'inquiétude salutaire ou la paix qui se trouvent dans un geste du hasard n'appartiennent qu'à celui qui a appris à réfléchir. Elle n'eut jamais d'amour, elle n'entendit pas une seule fois retentir sur la route les pas merveilleux de l'amant, et cependant elle, qui mourut vierge à vingt-neuf ans, a connu l'amour, a parlé de l'amour, en a pénétré les plus incroyables secrets, au point que ceux qui ont le plus aimé se demandent parfois quel nom donner encore à leur passion quand ils apprennent d'elle les paroles, les élans, les mystères d'un amour à côté duquel tout semble accidentel et pâle.

Où a-t-elle entendu, si ce n'est dans son coeur, ces paroles inégalables de l'amante qui parle à sa nourrice de celui que tous autour d'elle persécutent et détestent et qu'elle seule adore. «Mes grandes misères en ce monde ont été ses misères. Toutes je les ai observées et les ai ressenties depuis le commencement. Ma pensée, quand je vis, c'est lui-même. Si tout le reste périssait et que lui seul demeurât, je continuerais d'exister, et si tout le reste demeurait et qu'il fût anéanti, l'univers ne serait plus pour moi qu'un immense étranger, et je n'en ferais plus partie. Mon amour pour l'autre dont tu parles, est comme le feuillage des forêts; le temps le changera comme l'hiver change les arbres, mais mon amour pour lui ressemble aux rocs éternels et souterrains. Ils sont la source de peu de satisfactions visibles, mais ils sont nécessaires. — Je suis lui-même. Il est toujours, toujours, dans ma pensée, non pas comme un plaisir, pas plus que je ne suis toujours un plaisir pour moi-même. Je ne l'aime pas parce qu'il me semble beau, mais parce qu'il est *plus moi que tout moi-même*, et de quelque matière que soient faites nos âmes, la sienne et la mienne ne sont que la même âme....»

Elle tourne autour des réalités extérieures de l'amour avec une innocence qui peut nous faire sourire; mais où a-t-elle appris ces réalités intérieures qui touchent à tout ce que la passion a de plus profond, de plus illogique, de plus inattendu, de plus invraisemblable et de plus éternellement vrai? Il semble qu'il eût fallu vivre durant trente ans dans les chaînes les plus ardentes des plus ardents baisers pour arriver à savoir ce qu'elle sait, pour oser nous montrer avec cette certitude, avec cette exactitude infaillibles, dans le délire des deux amants prédestinés de *Wuthering Heights*, les mouvements les plus contradictoires de la douceur qui voudrait faire souffrir et de la cruauté qui voudrait rendre heureux, de la béatitude qui demande la mort et de la détresse qui s'attache à la vie, de la répulsion qui désire, et du désir ivre de répulsion, de l'amour plein de haine, et de la haine qui chancelle sous la poids de l'amour....

CIII

Et cependant, nous le savons, car rien n'est caché dans cette pauvre vie, elle n'aima personne et personne ne l'aima. Il est donc vrai que le dernier mot d'une existence est un mot que le destin chuchote au plus secret de notre coeur? Il est donc vrai qu'il y a une vie intérieure, aussi réelle, aussi expérimentée, aussi minutieuse que la vie du dehors? Il est donc vrai qu'on peut vivre sur place, qu'on peut aimer, qu'on peut haïr sans que l'on ait quelqu'un à repousser ou quelqu'un à attendre? Il est donc vrai que l'âme suffit à tout, qu'à une certaine hauteur c'est toujours elle qui décide? Il est donc vrai que les circonstances ne sont tristes ou infécondes que pour ceux dont la conscience dort encore?

Tout ce que nous cherchons par les chemins, amour, bonheur, beauté, aventures, ne se donnait-il pas rendez-vous dans le coeur d'Emily? Pas un jour ne lui apporta une de ces joies, une de ces émotions ou l'un de ces sourires que les yeux peuvent voir, que les mains peuvent toucher, et cependant elle eut une destinée complète, rien ne dormit en elle, il y eut toujours de la clarté, de l'allégresse silencieuse, de la confiance, de la curiosité, de l'animation et de l'espérance dans son coeur.

Elle fut heureuse, il n'est pas permis d'en douter. En nous ouvrant son âme, elle peut nous montrer la même récolte impérissable que les meilleurs des hommes qui connurent les bonheurs les plus divers, les plus longs, les plus vifs et les plus parfaits. Si elle n'eut rien de ce qui passe dans l'amour, dans la douleur, dans l'angoisse, dans la passion, dans la joie, elle eut tout ce qui reste des émotions humaines après qu'elles ne sont plus. Lequel aura véritablement possédé quelque chose, de l'aveugle qui habite un palais féerique ou de celui qui n'est entré qu'une fois dans ce palais, mais qui y est entré les yeux ouverts?

«Vivre, ne pas vivre.» Ne nous laissons pas égarer par les mots. Il est parfaitement possible d'exister sans réfléchir, mais il n'est pas possible de réfléchir sans vivre. L'essence heureuse ou malheureuse d'un événement se trouve dans l'idée qu'on en tire: pour les forts, dans l'idée qu'ils en tirent eux-mêmes; pour les faibles, dans l'idée que les autres en tirent. Il se peut que mille événements physiques viennent à votre rencontre, le long de votre route vers le tombeau, et qu'aucun d'eux ne trouve en vous la force qu'il lui faudrait pour se transformer en événement moral. C'est seulement alors que l'homme doit se dire: «Je n'ai peut-être pas vécu.»

CIV

Aussi est-il permis d'affirmer que le bonheur intime de notre héroïne, comme celui de tout être, est exactement représenté par sa morale et par sa conception de l'univers. Voilà la clairière qu'il faudrait toujours mesurer à la fin d'une vie, dans la forêt des accidents, pour estimer l'étendue d'un bonheur. Et qui pourrait encore verser les petites larmes des déceptions, des inquiétudes et des tristesses quotidiennes qui sont seules douloureuses, puisque, au lieu de rafraîchir, elles aigrissent les regards, qui pourrait encore les verser sur les hauteurs de la compréhension et de l'apaisement où s'éleva l'âme d'Emily Brontë?

On comprend alors qu'elle ne pleure pas comme la plupart des femmes qui errent toute leur vie de petites joies brisées en petites joies brisées. Une joie brisée n'accable que lorsqu'on la promène sans raison, comme le bûcheron qui ne déposerait jamais son fardeau de bois mort. Mais le bois mort n'est pas fait pour être promené sur nos épaules, il est fait pour être allumé et transformé en flammes éclatantes. À voir les flammes qui jaillissent dans l'âme d'Emily, on ne songe pas plus longtemps qu'elle n'y songe elle-même, aux tristesses du bois mort. Il n'y a pas de malheur sans horizon, il n'y a pas de tristesse sans remède, pour celui qui, tout en souffrant et tout en s'affligeant comme les autres, apprend à suivre, au fond de la tristesse et au fond du malheur, le grand geste de la nature, qui est le seul geste réel. «Le sage ne peut jamais absolument dire qu'il souffre, parce qu'il domine sa vie, écrivait une femme admirable et qui avait souffert; il la juge à vol d'oiseau, et s'il souffre aujourd'hui, c'est qu'il a tourné sa pensée vers la partie inachevée de son âme.»

Emily agite sous nos yeux, à côté de l'amour, de la bonté et de la loyauté, la méchanceté, la haine, la vengeance la plus tenace et la plus prévoyante perfidie, et n'a même pas besoin de pardonner, car pardonner ce n'est encore comprendre qu'à demi. Elle regarde, elle admet et elle aime. Elle admet et aime le bien comme le mal, car le mal après tout c'est le bien qui se trompe. Elle nous apprend — non pas en d'arbitraires formules de moraliste, mais à la manière dont les années et les hommes nous enseignent les vérités que nous avons qualité pour accueillir — l'impuissance finale de la méchanceté devant la vie, l'apaisement de tout dans la nature et dans la mort, «qui n'est que le triomphe de la vie sur une de ses formes particulières». Elle nous montre l'inutilité du mensonge le plus habile et le plus plein de force et de génie, devant la vérité la plus faible et la plus ignorante, et les déceptions de la haine qui sème sans le savoir le bonheur et l'amour dans l'avenir qu'elle croyait dévaster. La première peut-être, elle nous parle de la grande loi de l'hérédité pour nous enseigner l'indulgence; et quand, à la fin de son oeuvre, elle va, au cimetière du village, visiter l'éternelle demeure de ses héros, l'herbe est aussi verte sur la tombe des bourreaux que sur celle des martyrs, et elle s'étonne que quelqu'un puisse s'imaginer qu'un songe malfaisant vienne troubler le repos de ceux qui dorment ainsi dans le sein de la terre indifférente et pacifique.

Je sais bien qu'il s'agit d'un être de génie, mais de tels êtres ne font que nous montrer, avec un peu plus d'éclat, ce qui peut avoir lieu, ce qui a lieu dans tous les êtres, sinon ce n'est plus génie, mais extravagance ou folie. Plus on va, mieux on voit qu'il n'y a guère de génie dans l'extraordinaire et que la véritable supériorité est formée des éléments que tous les jours offrent à tous les hommes. Au reste, il n'est pas question de littérature en ce moment. Ce n'est pas sa littérature, mais sa vie intérieure qui console Emily, car il y a souvent une littérature très éblouissante sans qu'on y trouve la moindre activité morale. Emily se fût tue, n'eût jamais tenu une plume, qu'il y eût eu en elle la même puissance, la même vitalité, la même abondance d'amour, le même sourire intérieur de l'être qui a l'air de savoir où il va, la même certitude élargie de l'âme qui a su faire sa paix sur les hauteurs avec les grandes incertitudes et les grandes misères de ce monde. Nous l'aurions ignoré, voilà tout.

Elle nous enseigne plus d'une chose, cette humble vie. Ce n'est pas qu'il la faille donner en exemple à ceux qui sont enclins à la résignation; ils pourraient s'y tromper. Il semble qu'elle s'écoule tout entière dans l'attente, et tout le monde n'a pas le droit d'attendre. Emily mourut vierge à vingt-neuf ans, et on a tort de mourir vierge. Le premier devoir de tout être n'est-il pas d'offrir à sa destinée tout ce qu'on peut offrir à une destinée humaine? Mieux vaut une oeuvre inachevée qu'une vie incomplète. Il est bon de négliger les satisfactions vaniteuses ou inutiles, mais il n'est pas sage d'écarter presque volontairement les principales chances d'un bonheur essentiel. Il n'est pas interdit à l'âme malheureuse de nourrir de nobles regrets. Avoir une vue quelque peu étendue de la tristesse de son existence, c'est déjà essayer dans l'ombre les ailes qui nous aideront un jour à planer sur toute cette tristesse.

Peut-être manque-t-il un effort dans la vie d'Emily. Elle avait toutes les audaces, toutes les passions, toutes les indépendances dans son âme; mais dans sa vie, toutes les timidités, tous les silences, toutes les inactions, toutes les restrictions, toutes les abstentions et tous les préjugés qu'elle méprisait dans sa pensée. Trop souvent, c'est l'histoire des âmes trop pensives. Il est bien difficile de juger une existence en soi, et pour Emily Brontë notamment, il y aurait beaucoup à dire sur le dévouement avec lequel elle sacrifia les meilleures années de sa jeunesse à un frère indigne, mais malheureux. On ne peut donc parler ici que d'une façon très générale, mais qu'il est long, qu'il est étroit chez presque tous les êtres, le chemin qui conduit de leur âme à leur vie! Il en est de nos pensées d'audace, de justice, de loyauté et d'amour comme des glands du chêne dans la forêt: mille et dix mille s'égarent et pourrissent dans la mousse, avant qu'un seul arbre ne naisse. «Elle avait, disait en parlant d'une autre femme la femme dont je citais tout à l'heure une parole, elle avait une belle âme, une belle intelligence, un coeur sensible, mais tout cela n'arrivait dans la vie qu'après avoir passé par un caractère très étroit. Je remarque presque toujours le même défaut de clairvoyance, et surtout le même manque de retour sur soi-même. Quand un être veut nous montrer sa vie, il commence par nous dire sa manière de voir, de comprendre, de sentir; on voit alors une noble nature d'âme; puis, à mesure qu'on pénètre avec lui dans son existence, il nous énumère ses actes, ses douleurs et ses joies, et dans tout cela, il n'y a plus trace de l'âme qu'on avait aperçue un instant à travers les principes et les idées. Dès qu'il y a action, les instincts interviennent, le caractère s'impose, et l'âme, c'est-à-dire la partie supérieure de l'être, nous semble anéantie, on dirait une princesse qui aime mieux vivre dans une misère sordide que d'endurcir ses mains à des besognes ordinaires.»

CVI

Hélas! rien n'est fait, tant qu'on n'a pas appris à endurcir ses mains, tant qu'on n'a pas appris à transformer l'or et l'argent de ses pensées en une clef qui n'ouvre plus la porte d'ivoire de nos songes, mais la porte même de notre maison, en une coupe qui ne tient pas seulement l'eau merveilleuse de nos rêves, mais qui ne laisse pas fuir l'eau très réelle qui tombe sur notre toit, en une balance qui ne se contente pas de peser vaguement ce que nous allons faire dans l'avenir, mais qui nous marque avec exactitude le poids de ce que nous avons fait aujourd'hui. L'idéal le plus haut n'est qu'un idéal provisoire tant qu'il ne pénètre pas familièrement tous nos membres, tant qu'il n'a pas trouvé moyen de se glisser pour ainsi dire jusqu'à l'extrémité de nos doigts. Il y a des êtres en qui le retour sur soi ne profite qu'à leur intelligence. Il en est d'autres en qui ce même retour ajoute toujours quelque chose à leur caractère. Les uns sont clairvoyants tant qu'il n'est pas question d'eux-mêmes, tant qu'il n'est pas question d'agir; les yeux des autres s'illuminent surtout quand il s'agit d'entrer dans la réalité, quand il s'agit d'un acte. On dirait qu'il y a une conscience intellectuelle, éternellement assise, éternellement couchée sur un trône immobile, et qui ne communique avec la volonté que par la voie d'ambassadeurs infidèles ou tardifs, et une conscience morale toujours debout sur ses deux pieds, toujours prête à marcher. Il est vrai que celle-ci dépend peut-être de la première, n'est peut-être que la première, qui, fatiguée d'un long repos, ayant appris dans ce repos tout ce qu'elle peut apprendre, se décide à se lever enfin, à descendre les marches inactives, à sortir dans la vie. Tout est bien, pourvu qu'elle ne s'attarde point jusqu'au jour où ses membres refusent de la porter.

Qui nous dira s'il n'est pas préférable d'agir parfois contre sa pensée que de n'oser jamais agir selon ses pensées? L'erreur active est rarement irrémédiable; les choses et les hommes se chargent de la redresser tôt, mais que peuvent-ils contre l'erreur passive qui évite tout contact avec la réalité? Au demeurant, tout ceci ne veut pas dire qu'il faille modérer notre conscience intellectuelle et craindre de la trop nourrir en attendant notre conscience morale. N'ayons pas peur d'avoir un idéal trop admirable pour qu'il puisse s'adapter à la vie. Il faut un fleuve de bonne volonté pour mettre en mouvement le moindre acte de justice ou d'amour. Il faut que nos idées soient dix fois supérieures à notre conduite pour que notre conduite soit simplement honnête. Il faut vouloir énormément le bien pour éviter un peu le mal. Aucune force en ce monde n'est sujette à déchet plus énorme que l'idée qui doit descendre dans l'existence quotidienne; c'est pourquoi il est nécessaire d'être héroïque dans ses pensées pour être tout au plus acceptable ou inoffensif dans ses actions.

CVII

Approchons-nous une dernière fois des destinées obscures. Elles nous apprennent que, même au sein de grands malheurs physiques, il n'y a rien d'irréparable, et que se plaindre du destin c'est presque toujours se plaindre de l'indigence de son âme.

On raconte, dans l'histoire romaine, qu'un sénateur gaulois, Julius Sabinus, s'étant révolté contre l'empereur Vespasien, fut vaincu. Il lui eût été facile de fuir chez les Germains, mais ne pouvant emmener sa jeune femme, appelée Éponine, il n'eut pas le coeur de l'abandonner. Il semble qu'aux jours d'angoisse et de malheur on reconnaisse enfin la valeur unique et véritable de la vie; il ne renonça donc pas à la vie. Il possédait une villa sous laquelle s'étendaient de vastes souterrains connus de lui seul et de deux affranchis. Il fit incendier cette villa et le bruit se répandit qu'il s'était empoisonné et que son corps avait été dévoré par les flammes. Éponine elle-même y fut trompée, dit Plutarque, dont je reprends ici le récit tel qu'il est complété par l'historien des Antonins, le comte de Champagny; et quand Martialis l'affranchi lui annonça le suicide de son mari, elle demeura trois jours et trois nuits prosternée contre terre et refusant toute nourriture. Sabinus, instruit de cette douleur, en eut pitié, et fit dire à Éponine qu'il vivait. Elle continua comme de raison à porter le deuil de son mari et à le pleurer le jour, devant le public, mais elle le visita de nuit dans sa retraite. Pendant sept mois, elle descendit chaque nuit aux enfers pour y retrouver son mari. Elle essaya même de l'en faire sortir, lui rasa la barbe et les cheveux, entoura sa tête de bandelettes, le déguisa, le fit emporter dans un paquet de vêtements et le conduisit dans sa ville natale. Mais bientôt ce séjour lui sembla trop dangereux, elle ramena son mari dans le souterrain, elle, tantôt habitant la campagne et passant ses nuits avec lui, tantôt retournant à la ville et se faisant voir aux femmes ses amies. Elle devint grosse, et, grâce à un onguent dont elle s'oignit, jamais femme, même aux bains qui se prenaient en commun, ne s'aperçut de sa grossesse. Quand le moment de l'enfantement fut venu, elle descendit dans le souterrain, et seule, sans une sage-femme, comme la lionne met bas dans sa tanière, elle mit au monde deux jumeaux. Elle les nourrit de son lait, elle les vit grandir; elle soutint son mari pendant neuf ans dans cette retraite et dans ces ténèbres. Sabinus fut découvert pourtant, et amené à Rome. Il méritait certes la clémence de Vespasien; Éponine, présentant à l'empereur ses deux fils, qu'elle avait élevés sous terre: «Je les ai mis au monde, dit-elle, et je les ai élevés afin que nous fussions plus nombreux pour implorer ta grâce.» Les assistants pleuraient; César fut pourtant inflexible, et la courageuse Gauloise fut réduite à demander à mourir avec son époux. «J'ai vécu, dit-elle, plus heureuse avec lui dans les ténèbres, que tu ne l'as jamais été, ô César! à la face du soleil et au milieu des splendeurs de ton empire.»

CVIII

Quel coeur oserait en douter, quel coeur hésiterait à aimer des ténèbres illuminées d'un tel amour? Sans doute plus d'une heure s'écoula pour eux, affreuse ou misérable, au fond de leur repaire; mais qui, parmi ceux-là mêmes qui n'estiment que les plus petites satisfactions de l'existence, n'aimerait mieux aimer d'une pareille ardeur au fond d'une sorte de tombeau, que de n'aimer jamais que froidement dans la chaleur et à la lumière du soleil? L'admirable cri d'Éponine est le cri de tous ceux qui connurent l'amour et le cri de tous ceux dont l'âme sut trouver un intérêt, une curiosité, un espoir, un devoir dans la vie. La flamme qui l'animait au fond de ses ténèbres est la flamme même qui anime le sage au fond des heures uniformes. L'amour est le soleil inconscient de notre âme, mais les rayons les plus purs, les plus chauds, les plus stables de ce soleil, ressemblent étonnamment à ceux qu'une âme passionnée de justice, de grandeur, de beauté et de vérité s'efforce de multiplier en elle. Le bonheur qui se trouvait là, par hasard, dans le coeur d'Eponine, ne peut-on l'introduire dans tout coeur de bonne volonté? Tout ce qu'il y avait de plus consolant dans son amour, l'oubli de soi, la transfiguration des regrets en sourires, des plaisirs auxquels on renonce en bonheurs que le coeur éternise, l'intérêt que l'on prend aux plus pâles lueurs de chaque jour lorsqu'elles éclairent une chose qu'on admire, l'immersion dans une lumière et dans une allégresse que nous pouvons étendre à volonté, puisqu'il nous suffit d'adorer davantage; tout cela et mille forces aussi douces, aussi secourables, ne peut-il se trouver dans la vie plus ardente de notre coeur, de notre âme et de notre pensée? L'amour d'Éponine était-il autre chose qu'une sorte d'éclair involontaire, inattendu, immérité de cette vie? L'amour ne pense pas toujours; bien souvent il n'a besoin d'aucune réflexion, d'aucun retour sur lui-même, pour jouir de tout ce qu'il y a de meilleur dans la pensée, mais ce qu'il y a de meilleur dans l'amour n'en est pas moins semblable à ce qu'il y a de meilleur dans la pensée. Éponine, parce qu'elle aimait, ne voyait que le visage lumineux de ses souffrances; mais réfléchir, méditer, regarder plus loin que sa peine, et agir plus joyeusement qu'il ne faudrait selon l'ordre apparent du destin, n'est-ce pas faire volontairement et sûrement ce que l'amour ne fait qu'à son insu par un hasard heureux? Chacune des souffrances d'Éponine allumait une torche aux creux du souterrain, et de même pour l'âme accoutumée à la retraite, toute douleur qui la fait rentrer en elle-même n'allume-t-elle pas de grandes consolations? Et puisque, avec notre noble Éponine, nous sommes au temps des persécutions, ne pourrait-on pas dire qu'une telle douleur est pareille au bourreau païen, qui, touché par l'admiration ou la grâce, au milieu des tortures qu'il inflige, s'agenouille soudain aux pieds de sa victime, l'encourage tendrement, veut souffrir avec elle, et lui demande enfin, dans un baiser, le chemin de son ciel?

CIX

En quelque lieu que nous allions, le fleuve de la vie coule avec abondance sous les voûtes célestes. Il passe entre les murs d'une prison, bien que le soleil n'en éclaire pas les flots, comme il passe au pied d'un palais de gloire et de bonheur. Pour nous, ce qui importe, ce n'est pas l'étendue, la profondeur ou la violence du fleuve qui appartient à tous et qui coule toujours, mais la pureté et la capacité de la coupe que nous y plongerons. Tout ce que nous pouvons absorber de la vie prend nécessairement la forme de cette coupe, et cette coupe de son côté a été moulée sur nos sentiments et sur nos pensées, en un mot, sur le sein de notre destinée intime, comme la coupe du sculpteur d'autrefois fut moulée sur le sein d'une déesse. On a la coupe qu'on s'est faite, on a presque toujours celle qu'on apprit à désirer. Nous ne pourrions nous plaindre du destin que sous un seul rapport, c'est qu'il ne nous eût pas donné l'idée ou le désir d'une coupe plus vaste, plus parfaite. Oui, il n'y a d'inégalité que dans le désir, mais cette inégalité-là ne nous devient sensible que dans le moment même où elle commence à s'effacer. Apprendre que notre désir pourrait être plus beau, n'est-ce pas déjà l'embellir? n'est-ce pas soulever d'une aspiration nouvelle le sein de notre destinée, et, par le fait même, élargir les bords de la coupe idéale et docile, dont le métal ne se fige définitivement qu'à l'heure froide et inflexible de la mort?

Il n'a pas à se plaindre celui qui attend un sentiment plus ardent et plus généreux. Il n'a pas à se plaindre celui qui attend le désir d'un peu plus de bonheur, d'un peu plus de beauté, d'un peu plus de justice. Il en est de ceci comme on dit qu'il en est de la félicité des élus. Chacun d'eux est vêtu d'allégresse et a le vêtement qui convient à sa taille. Il ne peut désirer une béatitude plus étendue que celle qu'il possède, car dans le désir même qui la désirerait, il la posséderait. Si j'envie noblement le bonheur de ceux qui sont à même de plonger à l'endroit le plus lumineux du grand fleuve, un vase plus éclatant et plus lourd que le mien, j'ai, sans que je le sache, une part excellente à tout ce qu'ils y puisent, et mes lèvres se posent à côté de leurs lèvres sur les bords de la coupe.

CX

«Qui pourrez-vous aimer?» disait-on, avant ces digressions à la femme dont vous vous souvenez peut-être. On eût pu demander la même chose à Emily Brontë, à bien d'autres; et il y a, de par le monde, une foule d'âmes de bonne volonté qui perdent les meilleures années de l'amour à se poser, au sujet de leur avenir sentimental, des questions de ce genre.

Au reste, dans l'empire du destin, c'est autour de l'image de l'amour que se pressent la plupart des plaintes, des regrets, des attentes oisives, des craintes vaniteuses, des espérances disproportionnées. Il y a beaucoup d'orgueil, beaucoup de fausse poésie et beaucoup de mensonges au fond de tout ceci. En général, c'est parmi les âmes qui ont fait le moins d'efforts pour se comprendre que l'on trouve le plus d'âmes incomprises. En général, c'est l'idéal le plus débile, le plus étroit et le plus arbitraire qui se nourrit le plus abondamment d'appréhensions, de déceptions, d'exigences et de petits mépris. Nous craignons surtout que l'on froisse ou que l'on méconnaisse les vertus, les pensées, les qualités et les beautés morales que nous ne possédons encore qu'en imagination. Il en est des mérites de ce genre comme des biens matériels, l'espoir s'attache le plus obstinément à ceux qu'on n'aura probablement jamais la force d'acquérir. Ainsi, le fourbe qui médite de se corriger est assez étonné qu'on ne rende pas à la loyauté qui s'éveille un moment dans son coeur, un hommage immédiat et extraordinaire. Mais quand nous sommes réellement purs, désintéressés et sincères, quand nos pensées s'élèvent habituellement et simplement au-dessus de la vanité ou de l'égoïsme instinctif, nous nous soucions beaucoup moins que ceux qui sont autour de nous nous approuvent, nous comprennent, nous admirent. Épictète, Marc-Aurèle, Antonin le Pieux, ne se sont jamais plaints de n'être pas compris. Ils ne pensaient pas avoir en eux quelque chose d'inouï ou d'incompréhensible. Au contraire, ils croyaient que le meilleur de leur vertu se trouvait tout juste dans ce que tous pouvaient admettre sans effort. Ce que l'on méconnaît, non sans raison; car il y a presque toujours une raison supérieure dans l'inertie générale d'un sentiment; ce que l'on méconnaît, ce sont les vertus maladives auxquelles nous attachons trop d'importance, et toute vertu est maladive à laquelle nous attachons une grande importance et pour laquelle nous exigeons une attention respectueuse. Une vertu maladive est souvent plus funeste qu'un vice bien portant; en tout cas, elle s'éloigne davantage de la vérité, et il n'y a rien à espérer loin de la vérité. À mesure que notre idéal s'améliore, il admet un plus grand nombre de réalités; à mesure que notre âme grandit, elle appréhende moins de ne pas rencontrer une autre âme à sa taille; car une âme qui grandit est une âme qui se rapproche de la vérité, et non loin de la vérité tout participe de la grandeur de la vérité même.

Au milieu des célestes lumières, presque uniformes en leurs éblouissements, arrivé à la troisième sphère, Dante ne voyant rien bouger autour de lui, se demande tout à coup s'il demeure immobile ou s'il s'avance encore vers le siège de Dieu. Il regarde alors Béatrice, et comme elle lui paraît plus belle, il reconnaît qu'il s'est rapproché de son but. Et nous aussi, c'est à l'augmentation de la curiosité, de l'amour, du respect et de l'admiration pour tout ce qui nous accompagne dans la vie que nous pouvons compter les pas que nous faisons sur la route de la vérité.

CXI

D'habitude, l'homme sort de sa maison à la recherche de la joie, de la beauté, de la vérité, de l'amour, et ne rentre entièrement satisfait que s'il peut dire à ses enfants qu'il n'a rien rencontré. Il y a bien de l'orgueil à se dire mécontent; et la plupart n'accusent la vie et l'amour que parce qu'ils s'imaginent que la vie et l'amour leur doivent quelque chose de plus que ce qu'ils peuvent leur accorder eux-mêmes. Il est vrai qu'il faut pour l'amour comme pour tout le reste un idéal aussi élevé que possible, mais tout idéal qui ne répond pas à une forte réalité intérieure n'est qu'un mensonge oisif, stérile, obséquieux. Il suffit de deux ou trois idéals inaccessibles pour paralyser une vie. C'est une erreur de croire que la hauteur d'une âme se mesure à celle de ses aspirations ou de ses rêves. Les faibles ont, en général, des rêves bien plus beaux, bien plus nombreux que les forts, car toute leur énergie, toute leur activité s'évapore dans leurs songes. La hauteur d'un rêve habituel n'entre en ligne de compte, quand il s'agit d'évaluer notre hauteur morale, qu'autant que ce rêve soit l'ombre prolongée d'une vie antérieure et d'une volonté déjà très fermes, très expérimentées et très humaines. Alors il est permis de le planter un instant au milieu de la plaine inondée du soleil des réalités extérieures, comme on plante un bâton à côté d'un clocher que l'on veut mesurer à son ombre, afin de déterminer le rapport entre l'ombre de l'heure et la tour éternelle.

CXII

Il semble naturel qu'un noble coeur attende un grand amour, mais il est bien plus naturel encore qu'il aime en attendant, et que pendant qu'il aime il ne croie pas attendre. Dans l'amour comme dans la vie, il est presque toujours fort inutile d'attendre; c'est en aimant qu'on apprend à aimer, et c'est avec les soi-disant désillusions des petites amours, qu'on nourrira le plus simplement et le plus sûrement la flamme inébranlable du grand amour qui viendra peut-être éclairer le reste de la vie.

On est souvent injuste envers les désillusions. On leur donne un visage chagrin, pâle, découragé; elles sont, au contraire, les premiers sourires de la vérité. Vous êtes un homme de bonne volonté, vous aspirez à être juste, utile, sage et heureux, mais si une désillusion vous attriste, c'est donc que vous regrettez le mensonge dans lequel vous étiez? Aimez-vous mieux vivre dans le monde de vos erreurs et de vos rêves, que dans celui de la réalité? Les meilleures heures des meilleures volontés se perdent trop souvent autour de la lutte d'un beau songe contre une loi inévitable, dont elles n'aperçoivent la beauté qu'après que le beau songe a épuisé leurs forces. Si l'amour, par exemple, vous a déçu, pensez-vous qu'il vous eût été salutaire de croire, durant toute votre vie, que l'amour est ce qu'il n'est pas, ce qu'il ne peut pas être? Croyez-vous qu'une illusion de ce genre ne fausse pas les plus importants de vos actes, et ne voile pas longtemps une partie de la vérité que vous voulez atteindre? Et si vous espérez faire de grandes choses et que la désillusion vous remette à votre place parmi les choses du second ordre, est-il juste de maudire jusqu'à la fin de vos jours l'envoyé de la vérité? N'est-ce pas, tout compte fait, la vérité même que votre illusion recherchait, si elle était sincère? Apprenons à nous faire de nos désillusions une troupe d'amies mystérieuses et fidèles, de conseillères incorruptibles. Si l'une d'elles, plus cruelle que les autres, nous abat un instant, ne nous disons pas en sanglotant: la vie n'est pas aussi belle que nos rêves; disons-nous: il manquait quelque chose à nos rêves puisqu'ils n'ont pas été approuvés par la vie. En somme, toute la force tant vantée des âmes fortes n'est faite que de désillusions qu'elles ont bien accueillies. Chaque déception, chaque amour méconnu, chaque espoir anéanti, ajoute un certain poids au poids de votre vérité, et plus les illusions tombent autour de vous, plus noblement, plus sûrement apparaît la grande réalité, comme le soleil qu'on aperçoit plus clairement entre les branches dépouillées de la forêt d'hiver.

CXIII

Si vous cherchez un grand amour, croyez-vous qu'il soit possible de trouver une âme aussi belle que vos rêves si vos rêves seuls sortent à sa recherche? Est-il juste de n'offrir que des désirs, des souhaits et des songes sans forme, et d'exiger en retour des paroles précises et des actes décisifs? Pourtant, c'est ce que nous faisons presque tous. Et si un hasard, trop heureux pour n'être pas inespéré, nous mettait enfin en présence de l'être qui réalisât exactement notre idéal, aurions-nous le droit de nous imaginer que nos aspirations paresseuses et confuses fussent restées longtemps d'accord avec sa réalité active et bien déterminée?

On n'a quelque chance de trouver son idéal hors de soi qu'après l'avoir autant qu'il est possible accompli en soi-même. Espérez-vous reconnaître et retenir une âme loyale, profonde, aimante, fidèle, inépuisable, une âme vaste, vive, spontanée, indépendante, courageuse, bienveillante et généreuse, si vous ne savez pas aussi bien qu'elle ce qu'est la loyauté, l'amour, la fidélité, la pensée, la vie, la spontanéité, l'indépendance, le courage, la bienveillance, la générosité? Et comment le savoir si vous n'avez pas aimé ces choses et vécu longtemps parmi elles, comme elle les a aimées, comme elle y a vécu?

Il n'est rien de plus exigeant, de plus maladroit, de plus aveugle que la bonté, la beauté, la perfection morale à l'état de désir. Si vous voulez trouver l'âme idéale, commencez par ressembler vous-même à l'idéal que vous cherchez. Il n'y a pas d'autre moyen de l'obtenir. À mesure que vous vous rapprocherez réellement de cet idéal, vous verrez qu'il est juste et heureux qu'il soit presque toujours bien différent de ce que vos espérances indistinctes attendaient. À mesure que votre idéal se réalisera au contact de la vie, il s'étendra, s'adoucira, s'assouplira et s'améliorera. Alors vous découvrirez sans peine dans ce que vous aimez, ce qui est vraiment beau, ce qui est solidement bon, ce qui est éternellement vrai en vous-même, car rien ne nous avertit du bien qui est autour de nous, si ce n'est le bien qui est dans notre coeur. Alors, enfin, vous attacherez moins d'importance à des imperfections qui ne blesseront plus en vous la vanité, l'égoïsme ou l'ignorance, c'est-à-dire à des imperfections qui ne seront plus pareilles aux vôtres, car c'est le mal qui est en nous qui supporte avec le moins de patience le mal qui se trouve dans autrui.

CXIV

Ayons confiance dans l'amour comme nous avons confiance dans la vie, puisque nous sommes faits pour avoir confiance et que la pensée la plus funeste en toutes choses est celle qui tend à se défier de la réalité. J'ai vu plus d'une vie brisée par l'amour, mais si ce n'eût été l'amour, il est probable que l'amitié, l'apathie, l'incertitude, l'hésitation, l'indifférence, l'inaction eussent brisé ces mêmes vies. L'amour ne brise dans un coeur que les objets fragiles, et s'il y brise tout, c'est que tout y était trop fragile. Il n'est personne qui n'ait pu croire sa vie brisée plus d'une fois, mais ceux dont elle fut vraiment brisée doivent souvent leur malheur à je ne sais quelle vanité des ruines.

Assurément il y a, dans l'amour, comme dans le reste de notre destinée, bien des hasards heureux ou malheureux. Il est possible qu'à sa première sortie dans l'existence, un être dont le coeur et l'esprit sont pleins de toutes les énergies, de toutes les tendresses, de toutes les bonnes aspirations humaines, rencontre sans l'avoir cherchée, l'âme qui réalise, dans l'ivresse d'un bonheur permanent, tous les voeux de l'amour, les plus hauts comme les plus humbles, les plus vastes en même temps que les plus délicats, les plus éternels et les plus fugitifs, les plus puissants et les plus doux. Il peut se faire qu'il trouve immédiatement le coeur auquel il pourra donner et qui recevra sans cesse le meilleur de lui-même. Il peut arriver qu'il atteigne d'emblée, l'âme peut-être unique, toujours pleine de désirs, qui saura recevoir jusqu'au tombeau mille fois plus que tout ce qu'on lui donne, et qui rendra toujours mille fois plus que tout ce qu'elle aura reçu. Car l'amour qui résiste aux années est fait de ces échanges délicieusement inégaux; et c'est ce qu'on y donne que l'on possède enfin et ce qu'on y reçoit qu'on n'est plus seul à posséder.

CXV

Il est parfois des destinées aussi parfaitement heureuses, mais si tout homme a plus ou moins le droit d'en espérer une pareille, il aurait tort d'emprisonner sa vie dans cet espoir. Il ne peut que se préparer à être digne un jour d'un amour de ce genre, et à mesure qu'il s'y préparera, son attente deviendra plus patiente. Il eût été également possible que l'être dont nous parlions tout à l'heure passât et repassât, de sa jeunesse à sa vieillesse, le long du mur derrière lequel son bonheur l'attendait dans un silence trop profond. Mais de ce que son bonheur se trouvait de ce côté-ci de la muraille, s'ensuit-il qu'il n'y ait que malheur et désespoir de l'autre? N'est-ce pas un bonheur que d'avoir acquis le droit de passer ainsi à côté du bonheur? N'est-il pas préférable de ne sentir, entre soi et le grand amour qu'on espère, qu'une sorte de hasard pour ainsi dire transparent et peut-être fragile, que d'en être à jamais séparé par tout ce qui est inhumain, inutile et indigne en nous-mêmes? Il est heureux celui qui peut cueillir et emporter la fleur, mais il n'est pas à plaindre autant qu'on le suppose, celui qui marche jusqu'au soir dans le noble parfum de la fleur invisible. Une vie est-elle manquée, a-t-elle perdu toute valeur et toute utilité parce qu'elle n'est pas aussi heureuse qu'elle eût pu l'être? Ce qu'il y aurait eu de meilleur dans l'amour que vous regrettez, n'est-ce pas vous qui l'eussiez apporté, et si, comme il est dit plus haut, l'âme ne possède enfin que ce qu'elle peut donner, n'est-ce déjà pas posséder un peu que de guetter sans cesse l'occasion de donner? Oui, il n'y a pas, je pense, sur cette terre, de plus désirable bonheur qu'un admirable et long amour, mais si vous ne trouvez pas cet amour, ce que vous avez fait afin de vous en rendre digne ne sera pas perdu pour la paix de votre coeur, pour la tranquillité plus courageuse et plus pure du reste de votre vie.

CXVI

Et puis, on peut toujours aimer. Aimez admirablement de votre côté et vous aurez presque toutes les joies d'un amour admirable. Même dans l'amour le plus parfait, le bonheur des deux amants les plus unis n'est pas exactement le même, et c'est bien certainement le meilleur qui aime le mieux, et celui qui aime le mieux qui est le plus heureux. C'est moins pour le bonheur de l'autre, que pour votre propre bonheur que vous devez vous rendre digne de l'amour. Ne vous imaginez point que dans les heures malheureuses d'un amour inégal, ce soit le plus juste, le plus sage, le plus généreux, le plus noblement passionné qui souffre le plus. Le meilleur n'est presque jamais la victime qu'il faut plaindre. On n'est complètement victime que lorsqu'on est victime de ses propres fautes, de ses propres torts, de ses propres injustices. Quelque imparfait que vous soyez, vous pouvez suffire à l'amour d'un être merveilleux, mais l'être merveilleux ne suffira pas à votre amour si vous n'êtes point parfait. Il est à souhaiter que la fortune introduise un jour dans votre demeure, la femme parée de tous les dons de l'intelligence et du coeur, que vous avez eu l'occasion d'admirer, en passant, dans l'histoire des grandes héroïnes de la gloire, du bonheur et de l'amour; mais vous n'en saurez rien si vous n'avez pas appris à reconnaître et à aimer ces dons dans la vie réelle; et la vie réelle, pour tout homme, qu'est-ce donc, après tout, sinon sa propre vie? C'est votre loyauté qui s'épanouira dans la loyauté de l'amante; c'est votre vérité qui s'apaisera dans sa vérité, et c'est la force de votre caractère qui jouira seul de la force qui se trouve dans le sien. Mais une vertu de l'être aimé, qui ne rencontre pas, au seuil de notre coeur, une vertu qui lui ressemble un peu, ne sait à quelles mains confier l'allégresse qu'elle apporte.

CXVII

Et quel que soit votre destin sentimental, ne perdez pas courage. Surtout n'allez pas croire que n'ayant pas connu le bonheur de l'amour, vous ignorerez jusqu'au bout le grand bonheur de l'existence humaine. Que le bonheur prenne la forme d'un fleuve, d'une rivière souterraine, d'un torrent ou d'un lac, il n'a qu'une seule et même source aux lieux secrets de notre coeur, et le plus malheureux des hommes peut se faire une idée du plus grand des bonheurs.

Il y a dans l'amour, il est vrai, une ivresse qu'il ne connaîtra pas, mais cette ivresse ne laisserait, au fond d'un coeur grave et sincère, qu'une grande mélancolie, si l'on ne trouvait pas dans l'amour véritable, quelque chose de plus sûr, de plus profond, de plus inébranlable que l'ivresse; et ce qu'il y a de plus sûr, de plus profond, de plus inébranlable dans l'amour est aussi ce qu'il y a de plus sûr, de plus profond, de plus inébranlable dans une noble vie.

Il n'est pas donné à tout homme d'être héroïque, admirable, victorieux, génial ou simplement heureux dans les choses extérieures; mais le moins favorisé parmi nous peut être juste, loyal, doux, fraternel, généreux; le moins doué peut s'accoutumer à regarder autour de soi sans malveillance, sans envie, sans rancune, sans tristesse inutile; le plus déshérité peut prendre je ne sais quelle silencieuse part, qui n'est pas toujours la moins bonne, à la joie de ceux qui l'environnent, le moins habile peut savoir jusqu'à quel point il pardonne une offense, excuse une erreur, admire une parole et une action humaines; et le moins aimé peut aimer et respecter l'amour.

En agissant de la sorte, il se penche sur la source où les heureux viennent se pencher aussi, plus souvent qu'on ne croit, aux heures ardentes du bonheur, afin de s'assurer qu'ils sont vraiment heureux. Tout au fond des félicités de l'amour comme au fond de l'humble vie du juste auquel le hasard n'a pas voulu sourire, il n'est d'inaltérable et d'immobile que la justice, la confiance, la bienveillance, la sincérité, la générosité. L'amour donne un peu plus d'éclat à ces points lumineux; et c'est pourquoi il faut chercher l'amour. Le plus grand avantage de l'amour, c'est qu'il ouvre nos yeux à certaines vérités pacifiques et douces. Le plus grand avantage de l'amour, c'est qu'il nous donne l'occasion d'aimer et d'admirer, dans un objet unique, ce que nous n'aurions eu ni l'idée ni la force d'aimer et d'admirer en mille objets divers; c'est qu'il nous élargit ainsi le coeur pour l'avenir. Mais à la base du plus merveilleux amour, il n'y a jamais qu'une félicité très simple, une tendresse et une adoration très compréhensibles, une confiance, une sécurité et une sincérité très accessibles, une admiration et un abandon très humains, que la bonne volonté malencontreuse pourrait connaître aussi dans sa vie attristée, si elle avait un peu moins d'amertume, un peu moins d'impatience, un peu plus d'initiative, un peu plus d'énergie.

Milton Keynes UK
Ingram Content Group UK Ltd.
UKHW031826270923
429475UK00009B/265